HYMNES SUR LA NATIVITÉ

SOURCES CHRÉTIENNES

N° 459

ÉPHREM DE NISIBE

HYMNES SUR LA NATIVITÉ

INTRODUCTION

PAR

François GRAFFIN, s.j.

TRADUCTION DU SYRIAQUE ET NOTES

PAR

François CASSINGENA-TRÉVEDY, o.s.b.

LES ÉDITIONS DU CERF, 29, BD LATOUR-MAUBOURG, PARIS

2001

*La publication de cet ouvrage a été préparée avec le concours
de l'Institut des « Sources Chrétiennes »
(U.M.R. 5035 du Centre National de la Recherche Scientifique).*

Cet ouvrage est publié avec le concours du Conseil Général du Rhône.

© Les Éditions du Cerf, 2001
ISBN 2-204-06675-3
ISSN 0750-1978

INTRODUCTION

Éphrem de Nisibe[1] fut le grand poète de la langue syriaque : il vécut dans la Haute-Mésopotamie, au IVe siècle. Il devint et resta diacre de l'Église, étant à la fois le maître qui enseigne et réfute, le chantre qui dirige la liturgie et l'ascète adonné à la vie de prière et à la charité.

Né vers 306, les événements militaires ou politiques l'obligèrent, en 363, à quitter sa ville natale, cédée aux Perses après la défaite et la mort de l'empereur Julien ; il se réfugia à Édesse[2], capitale de l'Osrhoène, où il mourut en 373.

S'il a légué à la postérité de nombreux ouvrages d'exégèse ou de dogme, Éphrem est surtout connu pour ses poèmes, dont la beauté lui a valu une notoriété quasi universelle, ainsi que son surnom de « cithare de l'Esprit Saint ». Son génie poétique nous a laissé, entre autres, des hymnes sur la Foi, contre les hérésies, sur les mystères de la vie du Christ — la Nativité, l'Épiphanie et la Semaine pascale — ou encore de spiritualité sur le Jeûne, l'Église ou la Virginité, et enfin sur le Paradis et sa ville de Nisibe[3].

---

1. Aujourd'hui NUSAYBIN, Turquie.
2. Aujourd'hui URFA, Turquie.
3. La présentation de la vie et de l'œuvre d'Éphrem a déjà été longuement exposée dans les Introductions des deux livres qui ont donné les premières traductions françaises de ces hymnes :
— ÉPHREM DE NISIBE, *Hymnes sur le Paradis*, Introduction par F. GRAFFIN, traduction par R. Lavenant (*SC* 137), Paris 1968.
— G. A. M. ROUWHORST, *Les Hymnes pascales d'Éphrem de Nisibe*, 2 vol., Leyde 1989.

Ces œuvres connurent un succès immédiat, ce qui explique les nombreuses traductions qui en furent faites très tôt. Mais, par la suite, elles tombèrent dans une sorte d'oubli, exception faite de celles qui furent conservées dans les lectionnaires liturgiques ou les chaînes. Il faut attendre le XVIIIe siècle et la découverte d'anciens manuscrits des VIe et VIIe siècles pour voir paraître la grande édition de l'ensemble des œuvres d'Éphrem connues alors, donnée par les ASSEMANI, en 6 volumes, parue à Rome entre les années 1732 et 1746, et accompagnée d'une traduction, assez libre, en latin[1].

C'est aux travaux d'érudition d'E. BECK, que nous devons d'avoir, depuis quelques décennies, l'ensemble de l'édition critique des *Hymnes* supposées authentiques d'Éphrem, faite à partir de ces manuscrits anciens, ainsi que d'autres qui le sont moins, le texte syriaque étant accompagné d'une traduction allemande[2].

Les *Hymnes sur la Nativité*, que nous proposons ici, en première traduction française, s'appuient sur cette édition récente : celle-ci parut en 1959, dans le *CSCO* n° 186 et sa traduction dans le n° 187 (script. syr. 82 et 83). L'avant-propos du premier volume décrit de manière très détaillée les manuscrits qui ont servi à l'établissement du texte (p. VIII-XVII) ; de ceux-ci, nous ne retiendrons ici que les deux plus anciens : le *Vatican syriaque* 112 (sigle G), daté de 551 et le *British Library Add 14.571* (sigle D), daté de 519.

E. BECK a retrouvé 28 *Hymnes* qui, semble-t-il, ne constitueraient qu'une partie d'un ensemble primitif qui aurait compté 50 pièces[3].

La meilleure étude d'ensemble sur Éphrem est celle de A. DE HALLEUX, « Saint Éphrem le Syrien », *Revue théologique de Louvain* 14, 1983, p. 328-355.

1. ASSEMANI, *Sancti Patris nostri Ephraem Syri Opera omnia quae exstant graece, syriace, latine, in sex tomos distributa*, Rome, 1732-1746 (grec) et 1737-1743 (syriaque).

2. Soit 24 volumes d'*Hymnes* parus dans le *CSCO*, Louvain, entre les années 1955 et 1973. On en trouvera une première liste dans : R. LAVENANT, *o.c.*, p. 11 et une seconde, plus complète, dans ROUWHORST, *o.c.*, v. 1, p. 16-19.

3. Selon une notice anonyme insérée dans le ms. *Sinai Syr.* 10, qui pourrait remonter à la fin du VIe siècle, cf. A. DE HALLEUX « Une clé pour les hymnes d'Éphrem dans le ms. *Sinai syr.* » 10, *Muséon* 85, 1972, p. 171-199.

ASSEMANI n'en avait connu que 13 et les éditions postérieures, en particulier celle de LAMY[1] en ajoutèrent d'autres, provenant de recueils liturgiques, ce qui conduit à penser qu'il est (à peu près) certain que nous sommes en présence d'un ensemble composite, dont tous les morceaux n'ont pas la même valeur. Ce caractère hétérogène invite, en conséquence, à nuancer toutes les considérations qu'il serait possible de faire sur ces poèmes, qu'elles soient doctrinales ou littéraires, et à interdire toute généralisation pour ce qui concerne une datation et leur degré d'authenticité.

Leur noyau central est constitué de 16 hymnes qui portent ici – à la suite de E. BECK – les numéros V à XX. Dans le *Vat. syr. 112*, il est précédé de la suscription : *nuṣrātā dmar afrem*, « Berceuses de Mar Éphrem », indication précieuse et des plus heureuses puisque la majeure partie des hymnes est placée sur les lèvres de la Vierge. Cette désignation générale de « Berceuses », l'invariabilité du schéma métrique (10 vers de 4 syllabes), la cohésion littéraire et thématique de l'ensemble, tout porte à reconnaître une collection authentique. Elle fut très vraisemblablement composée par Éphrem lui-même, à usage liturgique, pour la fête de la manifestation du Christ, c'est-à-dire le 6 janvier; au VIᵉ siècle, elle se voit augmentée des quatre premières pièces (numéros I à IV), certainement authentiques également, et, par la suite, de huit autres (numéros XXI à XXVIII), cette fois d'origine plus douteuse, étant peut-être une compilation de strophes provenant d'hymnes authentiques.

Quand, plus tard, selon la tradition occidentale, la Nativité avec ses hymnes propres fut célébrée le 25 décembre[2], ce furent les *Hymnes sur l'Épiphanie* qui se rapportèrent au 6 janvier, devenue la fête du baptême du Christ; ces dernières

---

1. Th. J. LAMY, *Sancti Ephraem Syri, Hymni et Sermones*, tome 2, Malines 1886, col. 429-516.

2. Introduite dès 274 dans l'empire romain, cette célébration se répandit plus tard en Orient : à Constantinople, Grégoire de Nazianze en parle comme d'une fête récente, quand il y prêche en 379 (*Discours* 38, 3 ; *PG* 36, 313 C) et Jean Chrysostome, dans une homélie datée de 386, signale que cette innovation liturgique est introduite déjà depuis dix ans dans la métropole antiochienne (*Homélie sur la Nativité* 1 ; *PG* 49, 351).

pièces, dont l'origine est plus contestable, ont cependant été éditées par E. BECK, dans le volume du *CSCO* [1].

COMPOSITION

Une hymne, *madrāshā* en syriaque, désigne « un poème qui est souvent de caractère didactique [2] et où les vers sont groupés par strophes sur un air donné, avec un refrain, une brève acclamation [3] » ; cependant, « à la différence de la poésie religieuse classique grecque, le principe du *madrāshā* repose non sur la quantité, mais sur le nombre de syllabes » [4]. Dans le cas d'Éphrem, celui-ci eut l'habileté de reprendre à son compte la forme d'enseignement inventée par Bardesane d'Édesse (154-222 après J. C.) [5], qui connut un grand succès, et dont Éphrem combattit la pensée avec beaucoup d'énergie.

Le noyau central du recueil sur la *Nativité* est nettement délimité : le début de l'*Hymne* V porte « Hymne de la Nativité » et la fin de l'*Hymne* XVIII, « Fin des hymnes de la Nativité composées par le bienheureux Mar Éphrem » [6] ; chacune de ces hymnes commence par le rappel de la même

---

1. Une première traduction française en a été faite : F. CASSINGENA, *Hymnes sur l'Épiphanie, Hymnes baptismales de l'Orient syrien* (*Spiritualité Orientale* 70), Bégrolles-en-Mauges 1997.

2. D'où son nom syriaque, tiré de la racine *drsh*, qui signifie « fouler », et, de là, « disputer » et « instruire ».

3. G. A. M. ROUWHORST, *o.c.*, v. 1, p. 16.

4. G. A. M. ROUWHORST, *o.c.*, v. 1, p. 16.

5. Selon cet adepte de Marcion et de Valentin, l'homme est soumis aux influences de la nature, du destin et de la volonté (R. DUVAL, *La littérature syriaque*, 3e éd., Paris 1907, p. 239). En vue de répandre sa doctrine dans le peuple, Bardesane composa 150 hymnes chantées sur des modes musicaux ; malheureusement ces pièces sont perdues de nos jours (*ibid.*, p. 237).

6. Comme BECK le signale, en tête des *Hymnes* XIX et XX, ces deux dernières pièces renvoient aux *Hymnes* XII et XVI de la collection du ms. *D* (le *B.L. Add* 14.571 de l'an 519). Les seize morceaux édités de la partie centrale ne forment donc qu'un ensemble non éclaté de quatorze hymnes.

mélodie, comporte un refrain[1] mais aucune d'entre elles – sauf la dernière – ne mentionne l'indication « fin ».

Le premier ensemble de quatre hymnes s'ouvre aussi sur le titre « Hymnes de la Nativité », mais leur ampleur (99 strophes, pour la Ire et 214 pour la IVe) dépasse de beaucoup la moyenne de 10 à 25 strophes par hymne, qui s'observe dans le reste du recueil.

Les dernières hymnes (XXI-XXVIII) forment, comme l'écrit E. BECK un ensemble d'hymnes altérées par des tronquages et des additions, ou simplement des centons de strophes éphrémiennes[2]. Cependant il faut retenir certains indices d'authenticité de plusieurs de ces pièces : l'*Hymne* XXI est mentionnée par JACQUES D'ÉDESSE dans sa lettre au diacre Georges, la citant comme l'œuvre du « saint Mar Éphrem »[3] ; l'*Hymne* XXV fait allusion aux persécutions des chrétiens, ordonnées par le roi sassanide Sapor II de Perse (310-379)[4] et l'*Hymne* XXVII mentionne le 6 janvier comme étant encore le jour de la naissance du Seigneur[5].

CARACTÈRE LITURGIQUE

Cette fête de la Nativité est celle du commencement ou plutôt du recommencement. À la fois elle désigne l'apparition, le *denḥā*, l'« Orient » qui réalise l'attente des Écritures[6] et elle

---

1. Celui-ci manque dans les *Hymnes* X et XVI.

2. E. BECK, (*CSCO* 187/83), p. VI-VIII.

3. Cf. F. NAU, « Lettre de Jacques d'Édesse au diacre George », *Revue de l'Orient chrétien*, 6e année, 1901, p. 115-131. La strophe 5 est citée p. 125.

4. « Le diadème de l'Orient qui piétinait ceux qui t'aiment
        sera piétiné par ceux que tu chéris » (voir p. 294, n. 3).

5. « Le six de Kanoun, ta naissance a réjoui les six Côtés »(voir p. 312, str. 3). Il ne peut, bien sûr, s'agir que du mois de Kanoun 2, c'est-à-dire janvier. Les six côtés désignent « les quatre directions, la hauteur et la profondeur » (str. 4, v. 4). Moins qu'un signe d'authenticité, cette précision révèle l'antiquité du morceau.

6. Zach 3, 8 « Je vais susciter mon serviteur Orient » et 6, 12 « Voici un homme, dont le nom est Orient » ; Lc 1, 78 « L'Orient nous visitera d'en haut ».

représente un temps majeur du cycle liturgique et cosmique :

« Gloire à Toi, Épiphanie (litt. : Orient) divine et humaine »
(VIII, refrain)
« Gloire à Ton jour, à Ton Épiphanie (litt. : Orient) cachée »
(XII, refrain)

C'est donc « la grande fête » (XXV, 1), l'« emperière des fêtes» (XXI, 2), l'« aîné(e) des fêtes » (IV, 28). Avec Pâques et l'Ascension, elle compose « les trois solennités de la divinité » (IV, 57-59)[1] ; mais avec Pâques, surtout, elle s'équilibre sur le plan sotériologique (nativité-mort/résurrection), sur le plan cosmologique des grands rythmes naturels de la végétation et de la lumière (IV, 31-32 et 119-122 ; XXII, 6 ; XXVII, 1 et 21-22 ; XXVIII, 9), sur le plan théologique enfin, l'aujourd'hui[2] de Noël rappelant le premier jour de la création (XXVI, 1). Sur cette bipolarité du temps repose l'univers liturgique du poète[3].

En pratique, pour la Nativité, il semble raisonnable, pour certaines pièces du moins, de situer leur emploi le plus vraisemblablement au cours de la vigile nocturne « pré-eucharistique », selon la terminologie de Robert TAFT[4], telle qu'elle se célébrait alors dans le monde chrétien à l'occasion des grandes solennités. Plusieurs indications le suggèrent, telle l'évocation expresse de la nuit (I, 73, 82 et 88-89 ; XXI, 4 ; XXV, 2) et des lumières (IV, 69), l'allusion aux psaumes (II, 5 ; XV, 9-10 ; XXIV, 14 ; XXV, 8 ; XXVI, 6) et aux lectures bibliques (XXIV, 4 ; XXV, 9). D'autre part, au début du noyau central des *Hymnes* V-XX, un ms. liturgique signale expressé-

---

1. A. DE HALLEUX, « Saint Éphrem le Syrien », *o.c.*, p. 344.

2. Les séquences invitatoires (I, 1-17 ; IV, 1-28 ; V, 1-5) avec une identification du jour au Christ (IV, 2) (et suivantes) représentent peut-être un vestige d'une théologie judéo-chrétienne : cf. J. DANIÉLOU, *Théologie du judéo-christianisme*, Paris 1958, p. 222-226.

3. Sur l'étroite imbrication de ces deux cycles, chez Éphrem, cf. S. P. BROCK, *The Holy Spirit in the Syrian Baptismal Tradition*, Syrian Churches Series v. 9, Kerala (Inde) 1979, p. 8-9 (Sacred Time and ordinary Time) et ID., *The Luminous Eye*, p. 6-28.

4. R. TAFT, *La Liturgie des Heures en Orient et en Occident*, Turnhout 1991, p. 170-182 (vigiles de type cathédral, au IVe siècle).

ment « Hymnes de saint Mar Éphrem pour la nuit »[1]. Ces données, enfin, ne sont pas sans nous renvoyer au *Journal d'Égérie*, la pélerine qui évoque le programme de la vigile de l'Épiphanie, à Jérusalem, dans les dernières décennies du IVe siècle « ... des lampes brillent déjà d'un extrême éclat. On dit là un psaume ... des moines restent là jusqu'à l'aube et disent des hymnes »[2], et renvoyer aussi, de manière plus générale, à la fonction des hymnes dans l'action liturgique[3].

ŒUVRE D'ENSEIGNEMENT ET DE COMBAT

Ces célébrations avaient aussi pour Éphrem d'autres fonctions. Sûrement, tout d'abord, celle de donner un enseignement à un peuple qui ne pouvait guère en recevoir d'autre : à travers les *Hymnes*, Éphrem dispensait les fondements théologiques sur la Trinité, la Rédemption, l'Eucharistie, l'Église...[4].

Éphrem voulait également protéger la foi de ses fidèles et, dans une certaine mesure, ses poèmes sont des œuvres de combat : le triomphe du Soleil véritable condamne les cultes païens ; les christologies réductrices – gnostiques[5] ou arianisantes – sont dénoncées et fortement combattues[6] : quand Éphrem implore « la paix » (IV, 59), on peut supposer qu'il aspire à la fin des hérésies qui ont mis si gravement en péril le monde chrétien de l'époque.

---

1. Il s'agit du *B. L. Add* 14.511. Il est du Xe siècle.

2. P. MARAVAL, *Égérie, Journal de voyage* 25, 7 (*SC* 296), Paris 1996, p. 2-51.

3. Cf. AMBROISE DE MILAN, *Hymnes*. Introduction, traduction et notes par J. FONTAINE, Paris 1992, p.41-46.

4. Cf. A. DE HALLEUX, « Saint Éphrem le Syrien », *o.c.* ; ID. « Mar Éphrem théologien », *Par Or* vol. IV, 1973, p. 36-38 ; S. P. BROCK, *The Luminous Eye*, p. 10-36.

5. En particulier celles de Mani, Marcion et Bardesane.

6. « Je n'ai pas perturbé ton troupeau, Seigneur, mais selon la mesure de mes forces, j'ai tenu les loups à l'écart de lui ; et autant que je l'ai pu, j'ai dressé pour les agneaux de ton bercail les clôtures des *Hymnes* » (*Contra Haereses* LVI, 10 (*CSCO* 169 ; syr. 76), p. 211-212 ; trad. 170 ; syr. 77, p. 192. Voir aussi R. MURRAY, *Symbols*, p. 30, 89 et 244.

Éphrem s'en prend enfin aux Juifs – pour leur refus de recevoir le Christ – et plus précisément aux Judéo-chrétiens qui continuaient à « judaïser », c'est-à-dire à observer les pratiques religieuses juives[1] : il faut reconnaître que cette double appartenance permettait d'échapper aux persécutions qui, dans l'empire perse, s'abattaient sur les chrétiens[2].

Il est trop tôt, à cette époque, pour parler des enjeux christologiques du Vᵉ siècle, mais il est possible de mesurer, à l'avance, la rectitude de la foi d'Éphrem sur ce sujet[3]. Sans user des termes techniques qui fleuriront plus tard et principalement dans les exposés théologiques d'expression grecque, Éphrem fait preuve d'une grande sûreté doctrinale : il affirme les deux natures du Christ, « (mélangées) comme des couleurs » (VIII, 2), il multiplie les oppositions telles que « la divinité et l'humanité » (VI, 10 ; VIII, 2 ; XIII, 8), « le céleste et le terrestre » (VI, 11), « le pur esprit et le corporel » (VI, 11), comme nous le lisons encore dans cette belle strophe :

> « Car Servante je suis
>
> De ta Divinité,
>
> Et Mère aussi
>
> De ton Humanité,
>
> Seigneur et Fils ! »[4]   (V, 20)

---

1. La lecture des 23 discours d'Aphraate († après 345) est éclairante à ce sujet ; en particulier « De la Circoncision » (XI), « De la Pâque » (XII), « Du Sabbat » (XIII) et « De la Virginité et de la Sainteté » (XVIII) ; cf. M. J. PIERRE, *Aphraate le sage persan. Les Exposés* (SC 349 et 359), Paris 1988 et 1989.

2. Sur les relations entre juifs et chrétiens, il faut se reporter au très beau livre de M. SIMON, *Verus Israël*, Paris, 1964.

3. *Sermones de Fide*, IV, 29-46 (CSCO 212 ; syr. 88), Louvain 1961, p. 32-33 et traduction (213 ; syr. 89), p. 47.

4. Ces balancements annoncent déjà les termes du concile de Chalcédoine : « parfait en divinité... et parfait en humanité », cf. H. DENZINGER et J. B. UMBERG, *Enchiridion Symbolorum*, Fribourg e.B. 1947²⁶, nᵒ 148.

LES PERSONNAGES

Nous pouvons distinguer plusieurs catégories de personnages, dont mention est faite de manière heureusement répartie dans l'ensemble des *Hymnes*.

Les Anges
Il y a les anges, dont la présence est particulièrement dense. Dans la langue araméenne, judéo-chrétienne d'Éphrem, ce sont les « veilleurs », nom d'origine bien biblique (*Dan* 4, 10)[1]. Ils forment l'environnement du Christ, le « Veilleur » par excellence (I, 61-62 ; VI, 23-24 ; XXI, 4) : ils descendent (VII, 1 ; XXI, 3 ; XXV, 17), s'associent – dans une même communauté de louange et d'allégresse ecclésiales – aux liturges de la terre eux-mêmes (XXI, 2-4 ; XXV, 2 et 8).

Les Ancêtres
Il y a aussi les ancêtres : la Nativité d'Éphrem se détache sur un arrière-fond historique au contenu très riche, marquant la continuité avec le passé d'Israël et dont l'aboutissement est désormais actuel. La crèche se voit entourée comme par autant de « santons » qui sont introduits ici de manière familière et de plain-pied avec le Nouveau-né : Adam, Abel, Hénoch, Melchisédeck, Noé, Lot, Moïse, Caleb, Josué, Élie, Zacharie, Élisabeth, Jean-Baptiste, grandes figures antédiluviennes, patriarcales, prophétiques qui révèlent la culture vétéro-testamentaire de l'auteur et de ses auditeurs[2]. Mais plus qu'un simple décor, cette érudition atteste en réalité la conception théologique qu'Éphrem se fait de l'histoire : tous ces personnages, en célébrant la Nativité, viennent décliner leur titre de « symbole », de « mystère », ayant été des « types » du Christ à venir, le signifié de l'Écriture et de l'histoire (I, 17 et 36 ; IV, 116-117 ; V, 14 ; VI, 7 ; XIII, 3 ; XXIV, l).

---

1. *Dan* 4, 13 dans la *Peshitta*.

2. Sur la dévotion aux saints de l'Ancien Testament, très vive chez les pères syriaques, cf. R. MURRAY, *Symbols*, p. 49-50.

La virtuosité typologisante d'Éphrem ne se donne pas seulement carrière dans la grande fresque biblique de l'*Hymne* I ou dans les « harmonies » historiques de l'*Hymne* XIX ; elle va jusqu'à la justification, a posteriori, de comportements moraux contestables chez de lointains ascendants du Christ, surtout des trois femmes, Rahab, Tamar[1] et Ruth, thème de l'*Hymne* IX.

Marie   Parmi les personnages d'Éphrem, la figure de Marie tient une place éminente dans la célébration de la Nativité. Nous avons déjà signalé cette importance, à propos du noyau central des *Hymnes* que constituaient les Berceuses, où Marie occupe à tous égards l'avant-scène[2].

Le parallélisme Ève-Marie, celle-ci accomplissant, en les renversant, les données de l'économie du salut, fait apparaître la revanche victorieuse de la maternité virginale (XXII, 23) sur la défaite d'Ève, « cette petite fille sans raison » (XXVI, 8) égarée par le serpent ; deux figures féminines formant l'unique visage de « la Femme » (1, 14) vers laquelle toutes les femmes, depuis les aïeules jusqu'aux fillettes, processionnent avec gratitude, en l'appelant leur « sœur » (XXII, 23).

Les femmes   A la solidarité générique de Marie, fille d'Ève, avec toutes les femmes, s'en ajoute une autre : sa solidarité historique avec les grandes figures féminines du peuple élu – Sara, Rachel, Anne hantent la mémoire d'Éphrem –, mais aussi avec celle des femmes égarées dont nous parlions plus haut, toutes étant tournées vers le Fils qui devait apparaître de leur race. Tandis que l'*Hymne* II insiste sur l'ascendance davidique

---

1. Allusion également à Tamar en I, 12, et XV, 8.
2. « Pour la première fois, écrit le P. I. ORTIZ DE URBINA, un auteur chrétien met dans la bouche de la Mère du Christ des chants délicats, tout imprégnés de tendresse et d'admiration» ; *La Vergine Maria*, p. 70 ; voir aussi p. 101-102.

de Marie[1], l'*Hymne* X débute comme une ballade des dames du temps jadis : « Léa, Rachel ; Zilpa et Bilha... ». Derrière la soliste des berceuses, on devine, par moments, le chœur des « filles d'Hébreux » (VIII, 22 ; XIII, 1 ; XV, 2). Dans cette « fille du commun » (XV, 2), cette « pauvrette (issue d') un petit village » (XXV, 12), « persécutée » (VI, 4), « calomniée, méprisée mais rayonnante de joie » (XV, 7) se reconnaît une figure d'une étonnante vérité biblique : nul Père de l'Église, autant qu'Éphrem sans doute, n'a su camper un personnage marial aussi enraciné dans la patrie historique et plus encore spirituelle des « pauvres de Yahvé » ; la sève évangélique du cantique de Marie (Lc 1,46-55) circule, toute fraîche, dans ces *Hymnes* qui en exploitent à l'envi tous les thèmes.

L'Église   Si, en amont de l'histoire du salut, la Vierge dialogue avec la figure virginale d'Ève, en aval de la même histoire, elle dialogue avec une autre figure virginale, celle de l'Église[2]. Le mystère de l'Incarnation se concentre en Marie, à Bethléem (XXV), puis se répand dans un mouvement d'expansion progressive jusqu'aux Nations (XXVIII) : le sein de Marie est ainsi le point ultime où se focalise la Présence, qui se dilatera ensuite aux dimensions de l'univers (II, 21), car Marie a une claire conscience de sa solidarité avec l'Église : terre vierge (XV, 1) elle prépare dans sa chair, mieux, elle appelle de sa prière Celui qui universalisera pour l'humanité, par l'Eucharistie, son propre privilège contemplatif.

« Serait-ce à moi seulement que...

Tu as montré ta beauté ? Que le Pain te représente

Et l'esprit (humain) aussi ! Habite le Pain

Et ceux qui le mangent ! Dans l'invisible et le visible

Que ton Église te voie, comme Celle qui t'a enfanté ! »

(XVI, 4)

---

1. Sur l'origine de cette affirmation, cf. L. LELOIR, ÉPHREM DE NISIBE, *Commentaire de l'Évangile concordant ou Diatessaron* I, 25 (*SC* 121), Paris 1966, p. 58.

2. Éphrem a composé un recueil de 52 Hymnes *De Ecclesia* (*CSCO*, texte 198, syr. 84 et trad. 199, syr. 85), Louvain 1960. Pour la mariologie d'Éphrem, on se reportera à I. ORTIZ DE URBINA, *La Vergine Maria* et à E. BECK, *Mariologie*.

Marie, donc, l'initiatrice de la foi ecclésiale, demeurera mystérieusement présente jusque dans l'économie sacramentelle qui prolonge l'Incarnation.

Joseph Le mystère de Joseph, qui est loin d'être un personnage effacé[1], commence avec celui de son nom qui, par son initiale *yud* (*i*), est en correspondance avec celui de Jésus (XXVII, 5). Ce rapprochement suggère une authentique parenté, liée à une mission exceptionnelle. L'*Hymne* II argumente longuement sur les convenances « économiques » des épousailles de Marie et de Joseph : tous deux garantissent l'ascendance davidique de Jésus, Joseph, « par grâce... appelé père » (11, 6), au même titre que Marie. Car Jésus, conçu « sans le concours d'un homme » (11, 13) mais non pas sans Joseph, est en fait recensé sous son nom (11, 14) : « Il est devenu nominalement fils de Joseph » (XXIII, 4). Familier de la majesté divine (IV, 147-148), Joseph s'inscrit à son tour dans une histoire sainte, cependant que sa modeste condition sociale (V, 18 ; XV, 3) l'assortit à Marie parmi les « pauvres de Yahvé » tout en le rendant sensible aux hommages des bergers (VII, 2) et des artisans (VIII, 10-11), ceux du temps d'Éphrem qui, peut-être, le revendiquent comme leur patron. Joseph se réjouit dans l'Enfant qui est son Dieu (V, 16) ; mais aussi, à la manière d'un prêtre, il « officie » en sa présence (XVI, 16), exerçant une sorte de sacerdoce conjugal.

SPIRITUALITÉ ET ESTHÉTIQUE DE L'ÉMERVEILLEMENT

A travers ces discours parénétiques ou pastoraux se laisse voir l'anthropologie d'Éphrem, celle des sens spirituels : ouverture de l'oreille et du cœur, transparence du regard.

Parmi les harmoniques qui composent l'atmosphère du mystère et de sa célébration (lumière, paix, joie, vigilance), particulièrement prégnantes sont les approches dialectiques

---

1. Le *Diatessaron* (voir n. 1, p. 17) lui accorde une grande place (cf. II, 1-11 et XXI, 20 (*SC* 121), p. 65-72 et 385.

du mystère : l'invisible et le visible, l'en haut et l'en bas, le caché et le manifesté, l'un et le multiple ; y compris ce titre d'*alh bar nsh* qui forme le prédicat intraduisible de « Dieu-homme » (VI, 14, v. 5 et VIII, 2, v. 5).

C'est en un mot l'émerveillement qui caractérise la rencontre de l'âme avec le Christ[1] ; ce courant se développera dans la mystique syrienne depuis Éphrem jusqu'aux spirituels des VIIe et VIIIe siècles. « Merveille que ta mère ! » s'exclame Éphrem (XI, 6) qui affirme la maternité divine « non seulement avec évidence, mais avec un véritable enthousiasme »[2]. « Enfant merveilleux de la virginité » (VII, 13), le Christ en arrive à porter le titre privilégié de « Merveille » (I, 9, v. 2), qui vient tout droit de l'oracle messianique d'Isaïe (Is 9, 5). Marie, devant ce mystère, devient la figure emblématique de la seule attitude authentiquement religieuse aux yeux d'Éphrem, celle de l'adoration.

SYMBOLES DE LA NATURE

Éphrem, dans sa « dépaysante »[3] fraîcheur, ne mobilise pas seulement sa singulière érudition scripturaire. Débiteur de cet autre Livre qu'est pour lui – de son propre aveu[4] – la nature, il convoque auprès du Nouveau-né, avec une naïveté enfantine, tous les règnes de la création, tous les éléments, toutes les substances humbles et quotidiennes qui portent la vie ; il joue avec les lettres et les nombres dans cet univers de symboles qui demeure bien davantage le sien que celui des concepts[5] : Voici le soleil, le feu, la braise ; voici l'arbre et la fleur, la vigne et la grappe ; voici la mer, la source, la rosée, la perle ; voici la salive, la sueur, le levain, le sel ; voici le Christ,

1. Cf. Y. MOUBARAC, *La chambre nuptiale du cœur*, Libanica IV, Paris 1993, p. 49-50.

2. I. ORTIZ DE URBINA, *La Vergine Maria*, p. 72.

3. Y. MOUBARAC, *o. c.*, p. 42.

4. Exemples : *Hymnes sur le Paradis* V, 2 (*SC* 137), p. 71-72 et Hymnes *De Virginitate* XX, 12 (*CSCO* 223, syr. 94), p. 70-71 ; (trad. 224, syr. 95), Louvain 1962, p. 64-65 – Cf. A. DE HALLEUX, « Saint Éphrem le Syrien », p. 345.

5. Cf. A. DE HALLEUX, « Saint Éphrem le Syrien », p. 346.

tour à tour Pasteur, Pêcheur, Laboureur, proche comme le poète d'une civilisation rurale. Au bestiaire des *Hymnes sur la Nativité*, il faut inscrire le serpent, le loup, le lion, le renard, l'agneau, l'aigle, la colombe, l'abeille.

Cette profusion de symboles se coule dans des formes métriques diverses, répertoriées en tête de chaque *Hymne* traduite ; dans des formes littéraires, surtout, non moins variées. Malgré l'arbitraire de leur découpage ou leur hétérogénéité interne, ces pièces ou séquences se rangent dans des genres bien caractérisés dont le repérage s'avère souvent fort utile pour déterminer les véritables unités littéraires. À titre d'exemple, il y a l'Hymne acrostiche (XXII), invitatoire (I, V), doxologique (III, VIII), théologique (II, XII), numérique (XVIII, XXVI),...

Le verbe poétique, tantôt repose dans le silence (V, 22 ; XIX, 18-19), tantôt, symbolisé par la cithare, s'épanouit à des moments importants de la composition hymnique, en ouverture (II, 1 ; XXIII, 1) ou en finale (III, 22 ; XXIII, 14), ou encore à l'étape, comme pour préparer un rebondissement de l'inspiration (I, 38-39 ; IV, 50-59). Il semble parfois réfléchir sur lui-même par le truchement de Marie qui sert encore d'interprète ; car la Vierge des *Hymnes sur la Nativité* – et là réside une originalité dans le domaine de l'esthétique d'Éphrem – assume non seulement, à l'égard de l'hymnographe, la fonction d'inspiratrice, mais celle de truchement. La conception du verbe poétique s'apparente subtilement à la conception virginale, et le poème, « enfantement nouveau d'une nouvelle louange », porte finalement le nom même de l'événement qu'il solemnise : il est naissance (XV, 1, 5-6).

Cette traduction des *Hymnes sur la Nativité* marque l'aboutissement de plusieurs essais : de l'abbé Paul Feghali, puis de moi-même ; François Cassingena-Trévedy, o.s.b., enfin, s'est attaché à satisfaire aux exigences de l'exactitude comme à celles d'une tenue littéraire et poétique qui ne trahisse pas trop la fraîcheur d'Éphrem. Il a également rédigé les notices que l'on trouvera en tête de chaque hymne. Nous devons remercier aussi Madame Micheline Albert dont les judicieux conseils et l'expérience ont orienté la rédaction de cette préface.

François GRAFFIN, s.j.

ABRÉVIATIONS

CSCO	*Corpus Scriptorum Christianorum Orientalium*, Louvain
LO	*Lex Orandi*, Paris
Muséon	*Le Muséon*, Louvain
OCA	*Orientalia Christiana Analecta*, Rome
OS	*L'Orient syrien*, Paris 1956-1967
Par Or	*Parole de l'Orient*, Kaslik (Liban)
SC	*Sources Chrétiennes*, Paris

ABRÉVIATIONS DES ŒUVRES D'ÉPHREM

	CSCO	
	Syriaque	trad. all.
Az. = *De Azymis*, cf. *De Pascha Hymnen*	248	249
CH. = *Contra Haereses*	169	170
C. Nis. = *Carmina Nisibena*	218, 240	219, 241
C. Jul. = *Contra Julianum*, cf. *De Pascha Hymnen*		
Cruc. = *De Crucifixione*, cf. *De Pascha Hymnen*		
Eccl. = *De Ecclesia*	198	199
HdF. = *Hymni de Fide*	154	155

BIBLIOGRAPHIE

1. ÉDITIONS DU TEXTE SYRIAQUE AVEC TRADUCTION

A. J. S. et S. E. ASSEMANI, *Sancti Patris nostri Ephraem Syri Opera omnia quae exstant graece, syriace, latine, in sex tomos distributa*, Rome 1732-1746 (grec); 1737-1743 (syriaque).

— *De Nativitate*, v. 2, col. 396-436, (texte syriaque et traduction latine).

B. Th. J. LAMY, *Sancti Ephraem Syri Hymni et Sermones*, 4 vol., Malines 1882-1902.

— *De Nativitate*, II, 429-516 (texte syriaque et traduction latine).

C. E. BECK, *Des Heiligen Ephraem des Syrers Hymnen De Nativitate* (*CSCO* 186, *scriptores syri* 82), p. 1-143 (texte syriaque); (*CSCO* 187, *scriptores syri* 83), p. 1-130 (traduction allemande), Louvain 1959.

2. TRADUCTION ANGLAISE

K. E. McVEY, *Ephraem the Syrian Hymns*, transl. and introd. (De Nativitate p. 61-217); pref. by John MEYENDORFF (*The Classics et Western Spirituality*), New York 1989.

3. ÉTUDES

AMBROISE DE MILAN, *Hymnes*. Introd., trad. et notes par J. FONTAINE, Paris 1992.

E. BECK, « Die mariologie der echten Schriften Ephraems », *Oriens Christianus* 40 (1956), p. 22-39 [= Mariologie].

— *Ephräms Trinitätslehre im Bild von Sonne/Feuer, Licht und Wärme*, (CSCO 425, *subsidia* 62), Leuven 1981.

S. P. BROCK, *The Holy Spirit in the Syrian Baptismal Tradition*, (*Syrian Churches Series* v. 9), Kerala 1979.

— « The Poet as theologian » (on Ephrem), Sobornost 1977, 7, fasc. 4, p. 243-250, repris dans *Studies in Syriac Spirituality* (*Syrian Churches Series* v. 13), Kerala 1988, p. 53-61.

— *The Luminous Eye. The spiritual World Vision of St Ephrem*, Rome 1985, (= The Luminous Eye).

— *L'œil de lumière*, trad. française par Didier RANCE (*Spiritualité Orientale* 50), Bégrolles-en-Mauges 1991.

I.-H. DALMAIS, « Le thème de la lumière dans l'office du matin des Églises syriennes orientales, dans Noël Épiphanie–Retour au Christ, *LO* 40 (1967), p. 257-276.

J. DANIÉLOU, *Théologie du Judéo-Christianisme*, Desclée 1958.

— *Les symboles chrétiens primitifs*, Paris 1961.

P. EVDOKIMOV, *L'art de l'icône. Théologie de la beauté*, Desclée 1970.

F. GRAFFIN, « La Sôghîta du Chérubin et du Larron », *OS* 48 (1967), p. 481-490.

— « L'Eucharistie chez saint Éphrem », *Par Or* 4 (1973), p. 93-121.

J. GRIBOMONT, « Le triomphe de Pâques d'après saint Éphrem », *Par Or* 4 (1973), p. 147-189.

A. DE HALLEUX, « Une clé pour les hymnes d'Éphrem dans le ms. Sinai syr. 10 », *Muséon* LXXXV, 1-2 (1972), p. 171-199.

— « Mar Éphrem théologien », *Par Or* 4 (1973), p. 35-54.

—   « Saint Éphrem le Syrien », *Revue Théologique de Louvain* 14 (1983), p. 328-355.

R. HAMBYE, « Saint Ephrem and his Prayers », *The Harp* v. 1, fasc. 2-3 (Kerala 1988), p. 47-52.

A. HAMMAN et F. QUÉRÉ-JAULMES, *Le mystère de Noël*, (*Lettres chrétiennes*), Paris 1963.

Y. MOUBARAC, La chambre nuptiale du cœur, *Libanica* IV, Paris 1993.

R. MURRAY, *Symbols of Church and Kingdom. A study in early syriac tradition*, Cambridge 1975 (=*Symbols*).

G. NOUJAIM, « Essai sur quelques aspects de la philosophie d'Éphrem de Nisibe », *Par Or* 9, 1979-1980, p. 27-50.

I. ORTIZ DE URBINA, « La Vergine Maria nella teologia di S. Efrem », dans *Symposium Syriacum* 1972, *OCA* 197 (1974), p. 65-104 (=*La Vergine Maria*).

B. OUTTIER, « Saint Éphrem d'après ses biographies et ses œuvres », *Par Or* 4 (1973), p. 11-33.

—   « Contribution à l'étude de la préhistoire des collections d'hymnes d'Éphrem », *Par Or* 6-7, 1975-1976, p. 49-61.

G. PHILIPS, « Marie dans l'Église : un thème théologique renouvelé «, — (encyclopédie) Maria, t. 7, Paris 1964, p. 363-419.

G. A. M. ROUWHORST, *Les hymnes pascales d'Éphrem de Nisibe*, I. Étude, II. Textes (*Supplements to Vigiliae Christianae* VII), Leiden 1989.

E.-P. SIMAN, *L'expérience de l'Esprit par l'Église, d'après la tradition syrienne d'Antioche* (*Théologie historique* 15), Paris 1971.

R. TAFT, *La liturgie des Heures en Orient et en Occident*, Turnhout 1991.

P. TANIOS BOU MANSOUR, *La pensée symbolique de saint Éphrem le Syrien*, (*Bibliothèque de l'Université Saint-Esprit* XVI), Kaslik (Liban) 1988.

C. TRESMONTANT, *Essai sur la pensée hébraïque*, Paris 1952.

P. Yousif, « Histoire et temps dans la pensée de saint Éphrem de Nisibe », *Par Or* 10, 1981-1982, p. 3-35.

—   *L'Eucharistie chez saint Éphrem de Nisibe* (*OCA* 224), 1984.

—   « Marie et les derniers temps chez saint Éphrem de Nisibe », *Marie et la fin des temps, Études Mariales* 42e session, Paris 1985, p. 31-55.

HYMNE I

Avec ses quatre-vingt-dix-neuf strophes (peut-être y a-t-il déjà dans ce nombre, avec une intention symbolique, un indice d'unité littéraire corroboré, du reste, par l'indication *šlĕm* de la tradition manuscrite), l'*Hymne* I constitue un cycle noëlique complet. Au sein de cet ensemble dont l'intégralité primitive a été respectée, quatre mouvements se laissent néanmoins discerner.

1) Les strophes 1 à 11, scandées par un solennel *Aujourd'hui*, évoquent l'accomplissement des prophéties messianiques : Isaïe (str. 2, 9-11), David (str. 3), Michée (str. 4), Balaam (str. 5), Zacharie (str. 6), Salomon (str. 7).

2) Une vaste fresque typologique couvre les strophes 12 à 60; Éphrem fait défiler les grandes figures de l'histoire biblique en se plaisant à souligner comment tous ces *justes* (str. 40) communient dans une même orientation, un même dynamisme qui les porte vers le Christ, aboutissement de l'histoire et de la Révélation. La répétition de trois verbes suggère le point de fuite de la perspective : *ḥōr*, fixer du regard; *saky*, attendre dans l'espérance; *rag*, désirer ardemment. A mi-course de

son itinéraire biblique, Éphrem, sentant son impuissance à tout dire, sollicite l'intercession de son auditoire pour couvrir une nouvelle étape avec un souffle renouvelé (str. 38-40).

3) L'immense attente qui avait soulevé l'Ancien Testament continue d'inspirer aujourd'hui une attitude fondamentale : la veille, qui constitue le thème majeur des strophes 61 à 81, ensemble de style invitatoire. La veille qui est de mise n'est ni celle des pécheurs que leurs vices respectifs gardent éveillés (str. 63-68, 78-80), ni celle de Judas et des Pharisiens (str. 70-72), mais celle des fils de lumière (str. 73-74).

4) Outre la veille, le Christ attendu inculque la pureté (str. 82-83), la miséricorde (str. 84-85), la réconciliation et la paix (str. 88), la douceur et l'humilité (str. 89-91), la pauvreté (str. 94), la libéralité (str. 95), le pardon (str. 96).

Les trois dernières strophes livrent sans doute la pointe théologique de l'hymne : en manifestant chez Dieu même une *transformation* (str. 97), l'Incarnation en appelle une autre chez nous aussi, celle-là d'ordre moral ; le monde des volontés libres, exempt de l'immobilisme inhérent au monde physique (str. 98), est susceptible d'une telle conversion, depuis que l'humanisation de la Divinité a rendu possible, comme son corollaire et son but, la divinisation de l'humanité (str. 99).

Tout donne à penser que cette pièce, véritable litanie de la Nuit personnifiée (str. 73, 82, 88-89), était exécutée au cours d'une vigile nocturne de la fête.

HYMNE I

Structure métrique : chaque strophe est composée de quatre vers de sept syllabes.

1. Ce jour, mon Seigneur, a réjoui
   Les rois, les prêtres et les prophètes[1],
Car leurs paroles en ce jour furent accomplies
   Et devinrent toutes réalités.

   Refrain : Gloire à toi, Fils de notre Créateur !

2. La Vierge a mis au monde aujourd'hui
   L'Emmanuel[2] en Bethléem ;
La parole dite par Isaïe
   S'est aujourd'hui réalisée.

3. Il est né en ce lieu,
   Celui qui dans un livre dénombre les peuples[3] ;
Le psaume par David chanté,
   Aujourd'hui s'est accompli.

---

1. Cette trilogie est fréquente chez Éphrem, en particulier dans les hymnes de caractère typologique : cf. *Virg.* VIII, 3 et 18 ; *CSCO* 223, p. 29-31.
2. Is 7, 14 ; cf. Mt 17, 22-23.
3. Ps 87, 6. Dans la *Peshiṭta*, la lettre de ce verset est la suivante : « Le Seigneur enregistre les peuples dans un livre : celui-ci y est né » : Éphrem n'avait qu'à modifier l'ordre de la phrase pour donner au verset un sens christologique.

4. La parole prononcée par Michée
  Est devenue aujourd'hui réalité :
Un berger sort d'Éphrata[1],
    Et son bâton guide les âmes.

5. Voici qu'une étoile se lève, issue de Jacob :
    Un chef surgit d'Israël[2] ;
  La prophétie prononcée par Balaam
    Trouve aujourd'hui son explication.

6. Elle est descendue, la lumière cachée ;
      À travers un corps sa beauté s'est manifestée.
  L'astre[3] levant dont a parlé Zacharie
    À Bethléem a brillé aujourd'hui.

7. Elle s'est manifestée, la lumière royale,
    À Éphrata, la ville royale.
  La bénédiction prononcée par Jacob[4]
      atteint aujourd'hui sa plénitude.

8. L'arbre de vie[5]
      Apporte l'espoir aux mortels ;
  La sentence secrète de Salomon
      Reçoit aujourd'hui son interprétation.

---

1. Mi 5, 1 ; cf. Mt 2, 6 ; Jn 7, 42.
2. Nb 24, 17 ; cf. Mt 2, 2.
3. Lc 1, 78. Le mot *denḥa*, « lever du soleil » a toujours une connotation liturgique : c'est en effet le même mot qui désigne la fête de l'Épiphanie, le mystère noëlique dans son ensemble, cf. Is 60, 1-2.
4. Cf. Gn 49, 8-12.
5. Pr 13, 12 *(Peš)*.

9. Aujourd'hui un enfant est né.
On a proclamé son nom : « Merveilleux »[1] ;
Oui vraiment, c'est merveille que Dieu
Comme un nourrisson se soit montré.

10. L'Esprit l'avait comparé au ver[2]
Dont la reproduction se fait sans union.
Le type que l'Esprit Saint avait formé
A trouvé aujourd'hui sa signification.

11. « Il a grandi comme un surgeon, devant lui,
Surgeon sur une terre assoiffée[3]. »
Ce qui avait été dit de manière cachée
A été dévoilé aujourd'hui.

12. Le roi était caché en Juda :
Tamar à ses reins l'a dérobé[4].
Aujourd'hui a brillé l'éclatante beauté
Dont elle avait aimé la forme cachée.

13. Ruth auprès de Booz[5] s'était couchée,
Voyant caché en lui un remède de vie ;
Aujourd'hui son vœu s'est réalisé,
Car de sa semence a surgi Celui qui donne à tous
[la vie.

---

1. Is 9, 5.
2. Cf. Is 41, 14 ; Ps 22, 7. Éphrem voit dans le mode de reproduction du vers un « type » de la conception virginale de Jésus ; cette analogie empruntée au monde animal lui sert à suggérer la génération du Verbe en *HdF.* 41, 1.
3. Is 53, 2 *(Peš)*.
4. Cf. Gn 38, 12-19 ; Mt 1, 3.
5. Cf. Rt 3, 7.

14. Adam avait rejeté sa corruption
    Sur la femme sortie de lui[1] ;
De sa corruption elle lui a fait remise aujourd'hui
    En mettant au monde, pour lui, le Rédempteur[2].

15. Il avait engendré Ève, la Génitrice,
    L'homme qui jamais n'engendra[3] :
Combien plus digne de foi la fille d'Ève
    Qui, sans homme, engendra un enfant !

16. La terre vierge avait mis au monde
    Cet Adam, chef de la terre.
Aujourd'hui une Vierge a mis au monde
    L'Adam, Chef du ciel[4].

17. Le bâton d'Aaron a poussé des bourgeons,
    Le bois sec a produit des fruits[5].
Aujourd'hui son symbole trouve son explication :
    C'est un sein virginal qui a enfanté.

18. Qu'il soit couvert de honte, le Peuple qui empêche
    Les prophètes[6] d'être véridiques.
Si notre Sauveur n'était pas venu,
    De mensonge leurs paroles eussent été convaincues.

---

1. Cf. Gn 3, 12.
2. Glissement immédiat d'Ève à Marie.
3. Adam peut être considéré comme le « géniteur » d'Ève, parce qu'elle est « née » de sa côte ; cf. Gn 2, 21-23.
4. Cf. I Co 15, 47 ; cf. IRÉNÉE DE LYON, *Adversus Haereses* III, 21, 10 (*SC* 211), p. 429.
5. Cf. Nb 17, 23.
6. Cf. Mt 23, 29-30.

19. Béni soit le Véridique
         Qui vint du Père de Vérité[1] !
     Il a accompli les paroles des (prophètes) véridiques,
         Et elles sont complètes en leur vérité.

20. À ton trésor, mon Seigneur, laisse-nous puiser,
         Au trésor de tes Écritures,
     Les noms des justes d'autrefois
         Impatients de voir ta venue[2].

21. Seth qui prit la place d'Abel[3]
         Visait le Fils mis à mort,
     Pour que par sa mort s'émoussât le glaive
         Que Caïn introduisit dans la création[4].

22. Noé vit les fils d'Élohim,
         Les chastes[5] s'adonner soudain à la débauche.
     Il attendit le Fils chaste
         Par qui deviennent chastes les impudiques.

23. Les deux frères qui recouvrirent Noé[6]
         Visaient le Fils unique de Dieu,
     Pour qu'il vînt cacher la nudité
         D'Adam, par son orgueil enivré.

1. Le « Véritable » est un titre christologique en 1 Jn 5, 20. Quant à l'appellation « Père de Vérité », on la rencontre aussi dans des textes de la gnose valentinienne et marcionite.
2. Cf. Mt 13, 17.
3. Cf. Gn 4, 25. D'après certaines légendes juives et des traditions gnostiques, Seth était considéré comme l'ancêtre du Messie.
4. Cf. Gn 4, 24-25.
5. « *qaddishé* » au sens de « continents » ; cf. S. P. Brock, *The Luminous Eye...*, p. 109-110.
6. Cf. Gn 9, 23.

24. Sem et Japhet si miséricordieux
   Attendirent le Fils miséricordieux
   Pour qu'il vînt libérer Canaan
      De l'esclavage du péché[1].

25. Melkisédech l'attendit :
   (Comme son) lieutenant il fixait ses regards
   Pour voir le Seigneur du Sacerdoce
      Dont l'hysope lave les créatures[2].

26. Loth vit que les gens de Sodome
   Avaient renversé l'ordre de la nature ;
   Il se tourna vers le Maître des natures,
      Dispensateur d'une chasteté qui dépasse la nature[3].

27. Aaron l'attendit, lui qui vit
   Que son bâton avait englouti les serpents[4] :
   Sa croix engloutirait le dragon
      Qui avait englouti Adam et Ève.

28. Moïse regarda le serpent fixé à la hampe
   Qui guérit les morsures des vipères[5] ;
   Il attendit de voir Celui qui guérit
      La blessure infligée par le serpent primordial.

---

1. Allusion à la prophétie de Noé en Gn 9, 25-26.

2. Cf. Gn 14, 18. Melchisédech ; « vicaire » du Christ (BECK : Stellvertre-ter), est présenté ici moins pour sa signification eucharistique que baptismale.

3. Cf. Gn 19. La chasteté évangélique n'est pas innée chez l'homme : cf. *Nat.* XIV, 18.

4. Cf. Ex 7, 12, le mot *tanina* employé dans ce passage par la *Peš.* signifie aussi « dragon » ; cf. *Nat.* IV, 117 et VIII, 3.

5. Cf. Nb 21, 6-9.

29. Moïse vit qu'il était le seul
       À bénéficier de la splendeur de Dieu ;
    Il attendit Celui qui viendrait multiplier
       Par sa doctrine les divinisés[1].

30. Caleb l'explorateur revint,
       Portant la grappe sur une perche[2] ;
    Il attendit de voir le grappillon
       Dont le vin console la création.

31. Josué, fils de Nun, attendit
       Pour représenter la puissance de son nom[3] ;
    Si, grâce à son nom, il a été à ce point exalté,
       Combien plus le sera-t-il par sa naissance !

32. Ce Josué qui cueillit encore
       Et rapporta avec lui des fruits (de la terre)[4]
    Attendit l'arbre de vie
       Pour goûter de son fruit qui à tous donne vie.

33. Rahab se tourna vers Lui :
       Si le cordon écarlate[5]
    En symbole la sauva de la colère,
       En symbole elle goûta la réalité.

---

1. Cf. Ex 34, 29-35 ; 2 P 1, 4. Pour Éphrem, lumière et feu sont étroitement associés à la présence de l'Esprit Saint et jouent de ce fait un rôle à la fois dans le Baptême et dans l'Eucharistie.
2. Cf. Nb 13, 23.
3. En syriaque le même mot *yešu'* désigne Jésus et Josué.
4. Josué fut l'un des douze explorateurs : Nb 13, 8 et 16 ; Dt 1, 22-38.
5. Cf. Jos 2, 18.

34. Élie ardemment le désira
     Et sans voir le Fils sur terre,
Il crut, et toujours plus se purifia
     Pour monter le voir au ciel[1].

35. Moïse et Élie se tournèrent vers lui :
     Le doux[2] s'élevant des profondeurs,
Le jaloux[3] descendant des hauteurs ;
     Et ils virent le Fils au milieu d'eux[4].

36. Ils représentèrent le mystère de sa venue :
     Moïse fut le type des morts,
Élie, le type des vivants
     Qui voleront à sa rencontre lors de sa venue.

37. À cause de la mort que les morts ont goûtée,
     Il fera d'eux les premiers ;
Quant aux autres, non ensevelis encore,
     À la fin, à sa rencontre, ils seront enlevés[5].

38. Qui pourrait faire pour moi le compte
     Des justes qui ont attendu le Fils ?
Leur nombre ne peut être évalué
     Par notre bouche défaillante.

39. Priez pour moi, mes amis,
     Pour qu'une seconde fois revigoré,
J'expose dans un second récit
     Leurs qualités, autant que je le puis.

---

1. Cf. 2 R 2, 7-18.
2. Moïse : cf. Nb 12, 3.
3. Élie : cf. 1 R 19, 10.
4. Lors de la Transfiguration de Jésus : cf. Mt 17, 3.
5. Cf. 1 Th 4, 16-17.

40. Qui suffirait à célébrer
    Le Fils Véritable, à nous manifesté,
Que les justes ont si ardemment
    Désiré voir en leur génération?

41. Adam l'avait attendu,
    Lui, le Seigneur du chérubin[1],
Lui qui pouvait le faire entrer et habiter
    Sous la ramure de l'arbre de vie.

42. Abel ardemment désira
    Qu'en ses jours il vînt,
Pour voir à la place de l'agneau qu'il offrait[2]
    L'Agneau divin.

43. Ève l'aperçut;
    Si grande était des femmes la nudité
Que lui seul pourrait les revêtir, non de feuilles[3],
    Mais de la gloire dont elles s'étaient dépouillées.

44. La tour qu'une multitude avait bâtie[4]
    Visait en figure l'Unique
Qui descendrait bâtir sur la terre
    Une tour qui monte jusqu'au ciel.

45. L'Arche aussi, avec ses animaux,
    Visait par son type notre Seigneur
Qui bâtirait la Sainte Église
    Où les âmes sont sauvées[5].

---

1. Le Chérubin posté à la porte de l'Éden pour en interdire l'accès à Adam pécheur (Gn 3, 24) est sujet du Christ.
2. Cf. Gn 4, 4.
3. Cf. Gn 3, 7.
4. Cf. Gn 11, 4 ; *Virg.* XL, 11-13.
5. L'arche de Noé (Gn 6, 14 s.); cf. 1 P 3, 20-21.

46. Aux jours de Péleg, la terre fut partagée[1]
    En soixante-dix langues :
Il attendait Celui qui, par des langues,
    Partagerait la terre entre ses apôtres[2].

47. La terre engloutie par le déluge
    Poussait vers son Seigneur un cri silencieux.
Il descendit, ouvrit le baptistère,
    Pour que par lui les hommes soient emportés
                                        [aux cieux.

48. Seth, Enosh et Qénân
    Furent appelés fils de Dieu[3].
Ils attendirent le Fils de Dieu
    Afin de devenir par grâce pour lui des frères[4].

49. Un peu moins de mille ans
    Vécut Mathusalem[5].
Il attendit le Fils, seul à donner en héritage
    La vie qui ne finit jamais.

50. En mystère, en secret,
    La bonté divine[6] implora pour eux
Que leur Seigneur vînt dans leur génération
    Et comblât leurs insuffisances.

---

1. Cf. Gn 10, 25, en hébreu, la racine *plag* signifie « partager ».
2. Lors du miracle de la Pentecôte : Ac 2, 3.
3. Cf. Gn 5, 6-10 et 6, 2.
4. Cf. He 2, 11-12 ; Ps 22, 23.
5. Cf. Gn 5, 27.
6. « La Bonté » (divine) ou « Grâce » : la strophe suivante parle de l'Esprit Saint.

51. Car l'Esprit Saint qui était en eux[1]
  Par une pensée silencieuse pour eux (intervenait)
  Et les poussait à voir en lui le Sauveur
  Qu'ardemment ils désiraient[2].

52. L'âme des justes eut l'intuition du Fils
  Qui est le remède de vie
  Et elle désira qu'il vînt en ses jours
  Pour goûter à sa douceur.

53. Hénok ardemment le désira,
  Mais n'ayant pas vu le Fils sur terre,
  Il intensifia sa foi et sa justice
  Pour monter le voir au ciel[3].

54. Qui reprocherait à la Bonté
  Que ce don que les premiers,
  Malgré de grands efforts, n'avaient pas obtenu,
  Aux derniers gratuitement soit venu[4] ?

55. Vers lui Lamek aussi se tourna,
  Pour qu'il vînt, miséricordieux, le consoler
  De sa peine, du travail de ses mains
  Et du sol maudit par le Juste[5].

56. Lamek vit qu'en son fils Noé
  Les symboles du Fils étaient représentés :
  À la place du Seigneur lointain
  Le symbole prochain l'a consolé.

1. Cf. Lc 2, 25.
2. Cf. Rm 8, 26 ; 1 P 1, 10-11.
3. Cf. Gn 5, 24.
4. Cf. Mt 20, 1-16.
5. Citation presque textuelle de Gn 5, 29.

57. Noé désira voir ardemment
          Celui dont il avait goûté les secours.
     Si son symbole préserva les animaux (de la mort),
          Combien plus lui-même donnera-t-il la vie[1]?

58. Noé l'attendit pour avoir éprouvé
          Que par lui l'arche reposait (sur la montagne)[2].
     Si son type opéra un tel salut,
          Que ne fera-t-il lui-même en réalité[3]?

59. Abraham pressentit dans l'Esprit
          Que lointaine était la naissance du Fils.
     Il désirait ardemment pour lui-même
          Voir au moins son jour[4].

60. De le voir Isaac eut le vif désir,
          Car il savoura l'avant-goût du salut.
     Si sa préfiguration sauve de telle manière,
          Combien plus sauvera-t-il lui-même en vérité!

61. Les anges aujourd'hui se sont réjouis,
          Car le Veilleur[5] est venu nous réveiller.
     Qui dormirait en cette nuit
          Où toutes les créatures sont éveillées?

---

1. Éphrem use ici du type d'argumentation rabbinique appelé *qal wᵉhomer* qui conduit d'un fait minime à un fait plus considérable.
2. Cf. Gn 8, 4.
3. Éphrem emploie ici, dans un sens inhabituel, l'expression *qnūmā* ; elle est ici tout simplement synonyme de *ba-šᵉrārā* « en réalité ».
4. Cf. Jn 8, 56.
5. Le même mot syriaque *'irā* signifie « ange » et « veilleur »; cette désignation des anges comme veilleurs remonte à la Bible araméenne elle-même : cf. Dn 4, 10 et 20. Quant à la désignation du Messie comme ange, elle pouvait s'autoriser de la version grecque de Is 9, 5. Éphrem donne au Christ le titre de Veilleur en d'autres passages : *Nat.* VI, 23, 5; *HdF.* LV, 4, 6; *C. Nis.* LXVI, 5.

62. Comme Adam avait introduit par ses péchés
      Le sommeil de la mort dans la création,
  le Veilleur est descendu nous réveiller
      De la torpeur du péché.

63. Ne veillons pas comme les gens cupides
      Qui ne pensent qu'à augmenter leur argent.
  Ils veillent tard dans la nuit
      Pour calculer capital et intérêt.

64. Éveillé et sage est le voleur
      Qui enfouit et cache en terre[1] son sommeil.
  Il n'est qu'un but à tout son état de veille :
      Faire crier beaucoup les dormeurs !

65. Le glouton veille lui aussi :
      Il a trop mangé, son ventre s'est alourdi ;
  Veiller pour lui est un tourment,
      Car il ne se nourrit pas modérément.

66. Le commerçant veille lui aussi :
      La nuit, il se fatigue les doigts
  À calculer combien lui a rapporté son talent,
      Si son avoir s'est multiplié par deux, par trois.

67. Le riche veille lui aussi,
      Car Mammon[2] chasse son sommeil.
  Ses chiens dorment, mais lui garde
      Ses trésors des voleurs.

---

1. Cf. Mt 25, 18.
2. C'est-à-dire l'argent : le mot se trouve en Mt 6, 24 ; Lc 16, 13.

68. L'anxieux veille lui aussi :
>   Par les soucis son sommeil est englouti ;
>   Sa mort se tient debout à son chevet
>   Et il veille, pour les années à venir inquiet.

69. Satan enseigne, mes frères,
>   Une veille à la place d'une autre :
>   Afin qu'endormis pour le bien,
>   Nous soyons éveillés et vigilants pour le vice.

70. Judas Iscariote, lui aussi,
>   Avait veillé toute la nuit[1] ;
>   Il vendit le sang du Juste[2]
>   Qui a racheté toutes les créatures.

71. Le fils des ténèbres se vêtit de ténèbres,
>   Il se dépouilla de la lumière et la rejeta[3] ;
>   Pour de l'argent il vendit, le brigand,
>   Celui qui a créé l'argent.

72. Les pharisiens, fils de ténèbres, eux aussi,
>   Veillèrent toute la nuit[4] ;
>   Les ténébreux veillèrent pour cacher
>   L'incompréhensible Lumière.

73. Veillez, vous, comme des luminaires
>   En cette lumineuse nuit
>   Qui, bien que noire par sa couleur,
>   Par sa force resplendit[5].

---

1. Cf. Jn 13, 30 ; Mc 14, 32-52.
2. Cf. Mt 27, 4 ; Ps 94, 21 ; Ac 3, 14.
3. On revêt le Christ comme la lumière et Satan comme les ténèbres ; la même image est développée en *Virg.* LI, 5.
4. Cf. Mc 14, 53-65 : l'interrogatoire nocturne devant le Sanhédrin.
5. Cf. 1 Th 5, 4-6 ; Ps, 139, 12.

74. Celui qui, comme s'il resplendissait,
       Veille et prie dans les ténèbres,
    Au milieu des ténèbres visibles
       D'une lumière invisible est revêtu.

75. Un méchant a beau se tenir en plein jour,
       Sa conduite est celle d'un fils de ténèbres.
    Bien qu'au dehors il soit revêtu de lumière,
       Il est enveloppé de ténèbres au dedans.

76. Ne nous égarons pas, dès lors, mes amis,
       Sur notre manière habituelle de veiller;
    Car, de qui ne veille pas comme il se doit,
       La veille ne vaut rien!

77. Celui qui ne veille pas en chasteté,
       Sa veille n'est qu'un sommeil profond.
    Celui qui ne veille pas en pureté,
       Contre lui, même sa veille est en opposition.

78. La veille de l'envieux, elle aussi,
       Est un capital grevé de déficits;
    Sa vigilance est un trafic
       Rempli de honte et de moquerie.

79. L'irascible veille-t-il?
       Sa veille est troublée par la colère
    Et sa vigilance devient pour lui
       Pleine de rancœur et de malédictions.

80. Qu'un bavard vienne à veiller,
       Sa bouche devient une gouttière
    Apte à ne transmettre que paroles vaines,
       Mais dégoûtée de la prière.

81. L'homme sage veille-t-il ?
> Entre deux il choisira :
Ou les délices du sommeil
> Ou la sainteté de la veille.

82. Pure[1] fut la nuit où se manifesta le Pur
> Qui vint nous purifier ;
N'introduisons en notre veille
> Rien qui puisse la troubler.

83. Que le sentier de l'oreille soit purifié,
> La vision de l'œil épurée,
La pensée du cœur sanctifiée,
> La parole de la bouche amendée[2].

84. Marie a enfoui en nous aujourd'hui
> Le levain de la maison d'Abraham.
Aimons donc les pauvres
> Comme Abraham les indigents[3].

85. Le ferment est tombé en nous aujourd'hui
> De la maison de David le miséricordieux ;
Que l'homme soit miséricordieux pour son persécuteur,
> Comme le fils de Jessé pour Saül[4].

---

1. Dans cette strophe et dans les suivantes, Éphrem joue sur la polysémie de la racine *šp^hy* : limpidité, pureté, sérénité ; cf. *PO* 45, f. 2, n° 202, p. 280, n. 7, indication des traductions récentes.
2. Éphrem emploie dans cette strophe quatre verbes qui expriment, avec des nuances variées, l'idée de purification : *šap^hy, nkap^h, qadéš, ṣall.*
3. Cf. Mt 13, 33 ; Gn 18, 6.
4. David épargna Saül alors qu'il pouvait le tuer : cf. 1 S 24 – 26.

86. Le doux sel des prophètes
   A été répandu parmi les peuples aujourd'hui :
   Acquérons par lui un goût nouveau,
      Qui rende fade le peuple de jadis[1].

87. En ce jour du salut
   Parlons avec discernement[2];
   Ne disons rien de superflu
      Afin de ne pas le perdre.

88. C'est la nuit de la réconciliation :
   Qu'il n'y ait en nous ni trouble ni obscurité !
   En cette nuit qui pacifie toute chose,
      Qu'il n'y ait ni menace ni agitation !

89. C'est la nuit de la douceur :
   Qu'il n'y ait en elle ni amertume ni dureté !
   En cette nuit de l'Humilité[3],
      Qu'il n'y ait ni hauteur ni superbe !

90. En ce jour du pardon
   Ne vengeons pas les offenses !
   En ce jour de joie
      Ne distribuons pas les afflictions !

91. En ce jour de douceur
   Ne soyons pas violents !
   En ce jour de paix
      Ne soyons pas en colère !

---

1. Cf. Mt 5, 13 ; *Par.* VI, 21.
2. Jeu d'assonance entre *purqănā*, rédemption, et *puršānā*, discernement.
3. Littéralement : « Nuit du Doux, Nuit de l'Humble ».

92. En ce jour où Dieu
      Est venu chez les pécheurs,
    Que le juste ne s'exalte pas en pensée
      Au-dessus du pécheur !

93. En ce jour où le Maître universel
      Est venu chez les serviteurs,
    Que les maîtres aussi s'inclinent
      Avec affection devant leurs serviteurs !

94. En ce jour où pour nous
      Le Riche s'est fait pauvre[1],
    Que le riche aussi laisse le pauvre
      Prendre part à sa table !

95. En ce jour où nous est échu
      Un don que nous n'avions pas demandé,
    Distribuons des aumônes
      À ceux qui nous supplient en criant.

96. C'est le jour où s'ouvre
      À nos prières la porte d'en haut ;
    Nous aussi, ouvrons les portes aux demandeurs
      Qui ont péché et qui nous demandent grâce.

97. Le Seigneur des natures aujourd'hui
      Contrairement à sa nature s'est transformé[2] :
    Il n'est pas malaisé pour nous aussi
      De changer notre mauvaise volonté.

---

1. Cf. 2 Co 8, 9.
2. Ce concept sert à exprimer la nouveauté inouïe de l'Incarnation d'un Dieu immuable par nature : cf. *Virg.* IV, 5-6 ; XXV, 12 ; XXVIII, 11 ; *HdF.* XIX, 3.

98. Le corps est fixé de par sa nature ;
       Il ne peut ni grandir ni diminuer.
   La volonté, elle, a le pouvoir
       De grandir en toutes dimensions.

99. Aujourd'hui la divinité s'est empreinte
       Dans l'humanité
   Pour que l'humanité, elle aussi, fût enchâssée
       Dans le sceau de la divinité[1].

---

1. ATHANASE : « Le Verbe de Dieu s'est lui-même fait homme pour que nous soyons faits Dieu », *Sur l'incarnation du Verbe* 54, 3 (*SC* 199), p. 459.

HYMNE II

L'indication manuscrite *šlem d-qadmâyâ* (fin de la première hymne), maladroitement donnée telle quelle par le compilateur à la fin d'une hymne qui se trouvait être la deuxième de sa collection, donne à penser que nous avons affaire en réalité à la pièce initiale d'un autre cycle noëlique dont la suite s'est perdue.

L'évocation de la succession généalogique *(yubâlâ)* qui encadre l'ensemble (str. 2 à 22-23) suggère un projet de démonstration historique. Prophétie, royauté et sacerdoce de l'Ancienne Alliance culminent dans la personne de Jésus (str. 2) dont Éphrem s'applique à prouver la double filiation davidique, laquelle n'est nullement infirmée par le rapport de filiation purement adoptive unissant Jésus à Joseph, puisque, selon la mentalité biblique, cette dernière est réputée authentique (str. 12-16). Les deux dernières strophes, manifestement dirigées contre l'attente messianique de la communauté juive, soulignent le témoignage néo-testamentaire porté en faveur de la légitimité davidique de Jésus et comment le *Fils de David* met un point final à la suite des générations (str. 23).

Mais à l'arrière-plan de la naissance du Sauveur, il y a une Terre Sainte autant qu'une Histoire Sainte. De même que les cercles concentriques du temps sacral se focalisent sur le *Fils de David*, ceux de l'espace sacral, franchis par le Verbe de Dieu en son économie de rétrécissements progressifs, vont de la *Terre des Hébreux* au sein de Marie qui en est le centre et l'abrégé (str. 21).

La Terre Sainte, ce sont aussi toutes les cités qui, illustrées par Jésus au cours de sa carrière terrestre, lui offrent leurs couronnes (str. 3-4 ; 8-10) en même temps que Marie (str. 5-7) et Joseph (str. 11). Du point de vue du genre littéraire, l'*Hymne* II s'apparente à l'*Hymne* XVIII *(Hymne-couronne)*. Quant à l'étroite association de Marie et de Bethléem (str. 4), nous la retrouverons dans l'*Hymne* XXV.

HYMNE II

(Encore de Mar Éphrem,
sur la mélodie : « Les troupes d'en haut »)

Structure métrique : strophes de sept vers.

1. À la troupe d'en haut pour la louange envoyée,
   Au temps triomphal pour la rédemption désigné,
   Au jour béni pour l'allégresse réservé
       Je m'associe dans l'amour moi aussi, et je me réjouis!
   En de purs cantiques je veux lui dire : « Alléluia! »;
       Je veux le chanter d'une sainte voix;
   Cet Enfant qui nous a rachetés, je veux le glorifier.

Refrain : Rends-moi digne, moi aussi, de faire monter vers toi
                                              [sur la cithare
       Une louange de gloire au jour de la Nativité!

2. La cithare des prophètes qui l'ont annoncé résonne devant
                                              [lui ;
       L'hysope des prêtres qui l'ont aimé va, jubilante, à sa
                                              [rencontre,
   Avec le diadème que les rois successivement se sont
                                              [transmis :
       Il lui revient à lui, le Seigneur des vierges dont la Mère
                                              [est vierge aussi.
   Parce qu'il est Roi, il donne à tous la royauté;
       Parce qu'il est Prêtre, il donne à tous le pardon ;
   Parce qu'il est Agneau, il distribue à tous la nourriture.

3. Les villes royales sont toutes accoutumées
À offrir de leurs mains des couronnes d'or.
Les villes de Juda sont couronnes qui parlent, Seigneur !
Leurs couronnes, c'est avec leurs bouches, ô Jésus,
[qu'elles te l'offrent,
Bethléem, Cana, Nazareth,
Béthanie, Sichem et Samarie,
Avec les autres villes fortes qui méritèrent de te couronner[1].

4. La première couronne dont ta ville te fait présent
Consiste en deux couronnes à la fois : Marie et Éphrata[2];
Puis viennent toutes les villes ensemble, à leur rang.
Tiens ! C'est en prenant de ton bien qu'elles t'offrent
[leurs couronnes.
Un roi, Seigneur, reçoit ce qu'il n'a point donné,
Mais ce sont tes propres exploits que tressent tes cités
Pour présenter à ta gloire une couronne.

5. Que sa Mère l'adore ! Qu'elle lui offre une couronne,
Car Salomon aussi, sa mère l'avait fait roi et l'avait
[couronné[3].
(Mais) il apostasia[4] et perdit sa couronne au combat.
Voici que le Fils de David illustre la Maison de David et
[la couronne.
Tu as tant relevé son trône !
Tu as tant exalté sa lignée !
Et sa cithare en tout lieu, tu la fais résonner[5] !

1. Les cités énumérées ici par Éphrem étaient peut-être de son temps des lieux de pèlerinage. Tout un ensemble d'hymnes du recueil *De Virginitate* (XVI-XXIII et XXXII-XXXVI) leur est consacré, formant une sorte d'itinéraire mystique en Terre Sainte.
2. Cf. Mi 5, 2.
3. Cf. 1 R 1, 15 s.
4. Cf. 1 R 11, 4.
5. La prière liturgique de l'Église étend au monde entier le chant des Psaumes qui trouvent dans le Christ leur sens plénier.

6. La Mère qui l'a enfanté est digne de mémoire
   Et le sein qui l'a porté est digne de bénédictions ;
 Joseph aussi qui par grâce fut appelé père
   Du Fils véritable dont le Père est le Glorifié[1];
 Berger de toute la création, il fut envoyé
   Au troupeau qui s'était perdu et égaré ;
 En triomphe au bercail il l'a conduit et l'y a fait entrer.

7. Que Bethléem te remercie, elle qui fut digne de (voir) ta
                                              [Nativité ;
   Avec l'oracle de Michée[2] qu'elle te tresse une couronne!
 La prophétie, devenue jardin de fleurs,
   Appelle en renfort prophètes et rois pour la composer :
 Moïse apporte des types
   Et Isaïe des symboles épanouis ;
 Lys dans toute l'Écriture que les allégories!

8. Plus que tous ceux qu'il a guéris, il m'a réjouie parce que
                                              [je l'ai conçu ;
   Plus que tous ceux qu'il a exaltés, il m'a exaltée parce
                                              [que je l'ai enfanté.
 En son Paradis de vie je suis prête à entrer,
   Et là où Ève avait failli, je vais le glorifier,
 Car il s'est complu en moi plus qu'en toutes les femmes
                                              [créées[3],
   Au point que je lui devienne une mère, parce qu'il l'a
                                              [voulu,
 Et qu'il me devienne un enfant, parce que cela lui a plu.

---

1. Cf. Mc 14, 61 : « Fils du Béni » ; cf. aussi Ep 1, 17 : « Le Père de la Gloire ».
2. Cf. Mi 5, 2.
3. Cf. Lc 1, 28.

9. Par la bouche de mes Vainqueurs[1] je remercie et je reçois
Le Tout-Petit, le Fils du Caché qui sort pour la Révélation ;
Sur une haute cime il m'emporte au chant du Trisagion[2]
Pour que je le glorifie dans les cieux larges et spacieux,
Remplis de sa gloire, mais incapables
De contenir en leur sein la Majesté
De celui qui s'est abaissé et s'est fait tout petit dans une
[mangeoire.

10. Les voix d'en haut [3] t'ont annoncé à ceux d'en bas
Et les oreilles de ceux d'en bas t'ont bu dans les Évangiles.
Ô Source nouvelle que ceux du ciel ont ouverte
Pour ceux de la terre, altérés de la Vie, sans y avoir goûté !
Ô Fontaine dont n'avait pas goûté Adam !
Elle a ouvert douze jets éloquents [4]
Qui de vie ont rempli l'univers.

11. Joseph t'adore et t'offre une couronne,
Lui, le Juste inquiet qu'un ange a rassuré[5].
Pour que tu augmentes son salaire, il t'a pris dans ses
[bras pour te mettre en sûreté.
La justice de Joseph témoigne combien tu es pur ;
Qui eût pu en effet convaincre un juste
De se charger du fils abominable de l'adultère
Et d'aller ainsi, de lieu en lieu pourchassé ?

---

1. *Naṣiḥé* : les martyrs et, en l'occurrence, puisque c'est Bethléem qui parle, les Saints Innocents. Dans la hiérarchie dessinée par *Par.* II, 11, les *naṣiḥé* sont les plus proches de la « Shékinah ».
2. Ou « avec mes saints » *(qaddišé)*. La traduction adoptée s'autorise du contexte qui renvoie à Is 6, 3.
3. Cf. Lc 2, 13.
4. Sources « douées de parole » : il s'agit des douze apôtres qui jaillissent du Christ-Rocher. Éphrem transpose ici une tradition rabbinique selon laquelle douze sources jaillissent du rocher frappé par Moïse (cf. Ex 17, 6 ; Nb 20, 11). Sur ce symbolisme, voir MURRAY, *Symbols*, p. 208-210.
5. Cf. Mt 1, 20.

12. Toi, Seigneur, apprends-moi comment et pourquoi
  D'un sein virginal il t'a plu, sur nous de te lever ;
  Serait-ce là le type d'Adam splendide, tiré d'une terre
    Vierge[1] et inculte jusqu'à ce qu'il fût façonné ?
  Quelle urgence, dès lors, à ce que fût mariée[2]
  À Joseph la fille de David, pour qu'ensuite
  Se fît d'elle, sans le concours d'un homme, ta Nativité ?

13. La généalogie des rois, c'est d'après le nom des mâles,
                    [non des femmes, qu'on l'établit ;
  Joseph, fils de David[3], a épousé la fille de David[4],
  Car un enfant ne peut être enregistré d'après le nom de
                                        [sa mère ;
  Il fut donc un fils pour Joseph, sans semence,
  Un fils aussi pour sa mère, sans le concours d'un homme ;
  Mais par l'un et l'autre il se relie à leur ascendance
  Pour que parmi les rois, comme Fils de David, on le
                                        [recense.

14. Il ne convenait pas que de la semence de Joseph il naquît,
  Ni que de Marie sans Joseph il fût conçu ;
  Il ne fut pas recensé d'après le nom de Marie qui l'avait
                                        [enfanté,
  Mais Joseph, en l'inscrivant, n'avait pas à inscrire sa
                                        [propre semence.
  Sans le corps (procréant) de Joseph, il a fait sien son nom ;
  Sans l'époux de Marie, comme fils de Marie il est apparu ;
  De David il est devenu le Seigneur et le Fils[5].

---

1. Cf. Gn 2, 5 ; *Nat.* I, 16.
2. Cf . Mt 1, 18.
3. Cf. Mt 1, 20.
4. Cf. Lc 1, 27 ; même insistance sur la double ascendance davidique de Jésus dans le *Commentaire de l'Évangile concordant* I, 26 (*SC* 121), p. 59-60.
5. Cf. Mt 22, 41-46. Au lieu de « Fils » d'autres manuscrits donnent « Père ».

15. La femme d'un homme, Moïse l'appelle épouse,
   Et le fiancé qui ne l'a pas encore reçue en mariage, il
                         [l'appelle « son maître[1] »,
De crainte que l'on n'interrompe la généalogie du Fils
                         [de David ;
   Sans homme en effet, comment serait-il compté comme
                         [Fils de David ?
Le fiancé (de Marie) fut réputé par elle comme un époux
   Et Notre Seigneur lui-même a reconnu appartenir à leur
                         [lignage :
Quand on l'appelait Fils de David, il ne le reniait pas.

16. Si un enfant adopté est appelé fils d'un homme,
   Bien qu'à son lignage et à sa race étranger,
Et si, parce qu'il se complaît en cet homme, il en devient
                         [volontairement héritier,
   Qui pourrait douter de la naissance corporelle de notre
                         [Rédempteur
Par la fille de David conçu,
   Par les bras d'un fils de David étreint
Et dans la cité de David[2] adoré ?

17. Que faisait la Toute-Pure au temps
   Où Gabriel, près d'elle mandé, prit son essor et
                         [descendit[3] ?
Tout en priant sans doute à cet instant le vit-elle,
   Puisque Daniel aussi, c'est tout en priant qu'il vit
                         [Gabriel...[4]

---

1. *Ba'lā* : cf. Gn 29, 22 ; Dt 22, 22 s.
2. Cf. Lc 2, 4 et 11.
3. Cf. Lc 1, 26.
4. Cf. Dn 5, 21.

Car il sied que Prière et sa parente Bonne Nouvelle
   S'offrent mutuellement un visage réjoui,
Comme Marie et sa parente Élizabeth[1].

18. La colombe à la prière bonne nouvelle apporta[2] ;
   À la prière d'Abraham une bonne nouvelle pour lui en
                                          [hâte descendit[3] ;
   Ézéchias aussi ! D'une bonne nouvelle sa prière fut
                                    [promptement suivie[4] ;
   Une bonne nouvelle encore réjouit la prière du
                                          [centurion[5]
Et sur la terrasse Simon fut mis en fête[6] ;
   La récompense à l'encens de Zacharie,
Ce fut la bonne nouvelle qui vint sur lui[7].

19. Toutes les bonnes nouvelles aboutissent au port de la
                                          [demande ;
   Cette Nouvelle des nouvelles, cause de toute joie,
C'est en prière qu'elle trouva Marie et la rencontra ;
   Gabriel, tel un vieillard[8] magnifique et grave,
Entra et la salua, de peur qu'elle ne s'émût
   Et que cette chaste jeune fille, à la vue
D'un visage juvénile, ne fût chagrinée.

---

1. Cf. Lc 1, 40.
3. Cf. Gn 8, 11.
3. Traduction conjecturale, car le texte n'est pas sûr ; McVey propose
« good tidings proliferated » ; Beck ne traduit pas.
4. Cf. Is 38, 5.
5. Cf. Ac 10, 3.
6. Cf. Ac 10, 9.
7. Cf. Lc 1, 9-17. L'encens symbolise encore la prière, cf. Ps 141, 2.
8. Éphrem s'appuie-t-il sur une tradition non-canonique particulière, ou
s'agit-il d'une sorte de « midrach » personnel de l'auteur toujours préoccupé
de défendre la virginité de Marie ?

20. À deux chastes vieillards[1] et à une jeune vierge,
   À eux seulement Gabriel fut envoyé, porteur de bonnes
                                               [nouvelles.
   Il y a similitude de volonté et parité de nature
      Entre la vierge, la stérile et Daniel le croyant :
   L'un a mis au monde la révélation de la Parole[2],
      L'autre la Voix dans le désert[3],
   Et la Vierge, le Verbe du Très-Haut.

21. Afin de ne pas dérouter ceux qui le verraient par son
                                               [immensité,
   Il s'est rapetissé de l'univers à la Terre des Hébreux,
   Et de toute cette Terre à la Judée, et de la Judée à
                                               [Bethléem,
   Jusqu'à ce qu'enfin il remplît le sein exigu (de Marie);
   Puis, telle une petite graine[4] en notre jardin,
      Une petite lueur en notre pupille,
   Il est apparu, s'est répandu, remplissant le monde
                                               [entier[5].

22. Et pour que de sa généalogie ressortît bien clairement de qui
                                               [il est le fils,
      Luc et Matthieu ont transmis le décompte des
                                               [générations[6].

---

1. Daniel et Zacharie.
2. Noter le réalisme de l'expression : Éphrem emploie le même verbe pour Daniel, Élisabeth et Marie; le charisme prophétique est une sorte d'enfantement : « Parole » traduit *memrā*, substitut du Tétragramme dans le judaïsme.
3. Cf. Mt 3, 3 (Is 40, 3).
4. *Perdtā* traduit κόκκος ; Mt 13, 31.
5. Même idée d'expansion en *Res.* III, 17 à propos de la pierre de Daniel (Cf. Dn 2, 35) et du nuage d'Élie (cf. 1 R 18, 44-45).
6. Cf. Mt 1, 16 ; Lc 3, 23-38.

Ils le tiennent pour fils d'Abraham, et de David, et de
[Joseph encore,
Si bien que par les bouches sagaces de deux témoins[1]
Et par celle de l'aveugle qui cria : « Fils de David[2] ! »
S'accroît la honte de ses ennemis et
Grandit la couronne de ses amis.

23. Le lignage de Juda jamais interrompu,
Le sceptre[3] issu de lui, jamais caduc,
Depuis le temps de Notre Seigneur les voilà dénoncés
[comme terminés.
Une longue période[4] au surplus témoigne qu'il a
[bouleversé
Le décompte des générations et qu'il n'existe plus.
C'est à toi que le lignage a abouti et s'est arrêté,
Car c'est toi le Fils de David, et d'autre il n'en est plus.

Fin de la première[5] (hymne)

1. Cf. Mt 18, 16 ; Lc 3, 23-38.
2. Cf. Lc 18, 38.
3. Cf. Gn 49, 10.
4. C'est-à-dire les trois premiers siècles de l'ère chrétienne.
5. Cf. p. 49, § 1.

HYMNE III

La pièce forme manifestement un tout et se suffit à elle-même. Les formules initiales de chaque strophe invitent tour à tour à la bénédiction (str. 1, 6-7, 13, 15-16, 20), à l'action de grâces (str. 2, 10, 18), à la glorification (str. 3-5, 8-9, 14, 17, 19) et à l'adoration (str. 12-14). Il est inutile, au demeurant, de rechercher une ordonnance systématique dans cette effusion qui, par sa spontanéité, fait songer aux anaphores eucharistiques primitives ; tout au plus peut-on discerner l'émergence de certains thèmes qui s'apparentent à ceux de la christologie alexandrine : le Verbe incarné assume une fonction révélatrice (str. 3-5) ; il est à la fois Médecin (str. 1, 2, 19), Convertisseur (str. 7), Pédagogue (str. 11) et Didascale (str. 12). L'Incarnation, dont le motif sotériologique est souligné (str. 2-3), relève du libre vouloir de Dieu (str. 6) et manifeste sa philanthropie (str. 17).

La prière s'adresse au Père invoqué sous différents attributs (str. 3-4, 8) et se plaît à accumuler les titres métaphoriques du Fils, empruntés pour la plupart au quatrième évangile (str. 10, 14-15). Devant l'immensité du don divin, l'homme sent sa petitesse et l'indigence de son action de grâces (str. 11, 21) ; le poète plus que quiconque, comme l'atteste la confession d'insuffisance qui appose à la pièce la signature personnelle de l'humilité (str. 22). Une hymne n'est jamais, pour Éphrem, qu'une *goutte de louange*.

HYMNE III

(Encore sur la mélodie :
« Il a consolé par les promesses. »)

Structure métrique identique à celle des Hymnes sur le Paradis : *chaque strophe comprend douze vers de cinq syllabes groupés deux par deux, avec toutefois,
situé après le milieu de la strophe, un vers de deux syllabes pour rompre la
monotonie.*

1. Béni soit l'Enfant qui, aujourd'hui,
    A mis Bethléem en réjouissance !
Béni soit le Nourrisson qui, aujourd'hui,
    A rendu à l'humanité jouvence !
Béni soit le Fruit qui s'est ployé
    Spontanément vers notre faim !
Béni soit le Bon qui, soudain,
    A enrichi
Toute notre indigence,
    Comblé notre insuffisance !
Béni soit Celui que sa tendresse a incliné
    À soigner nos maladies !

Refrain : Béni soit, Seigneur, ta Naissance,
    qui nous a fait grandir, nous, sans intelligence[1] !

1. Littéralement : « qui a relevé notre intelligence ». Le terme *'aṭlūtâ*
signifie la difficulté d'audition ou d'élocution, la stupidité, l'opiniâtreté. Il
résume assez bien l'attitude de ceux qui se ferment au message évangélique. Aussi MCVEY traduit-elle de façon heureuse : *hardness of heart.*

2. Merci à la Source qui
>   Pour notre propitiation fut envoyée ;
>   Merci à Celui qui a abrogé
>>   Le sabbat par sa plénitude [1] ;
>   Merci à Celui qui a tancé
>>   La lèpre, et elle a disparu [2] ;
>   La fièvre aussi l'a vu
>>   Et a décampé [3].
>>   Merci au Miséricordieux
>   Qui a supporté notre rudesse [4] ;
>>   Gloire à ta Venue
>   Qui a sauvé l'humanité !

3. Gloire à Celui qui est venu
>>   Chez nous par son Premier-né [5] !
>   Gloire au Silencieux
>>   Qui a parlé par sa Voix [6] !
>   Gloire au Sublime
>>   Qui s'est rendu visible par son Orient [7] !
>   Gloire au Spirituel [8].
>>   Qui s'est plu
>   À ce que son Enfant [9] devînt corps,

1. Cf. Mt 12, 3.
2. Cf . Mc 1, 43.
3. Cf. Mt 8, 15.
4. Cf. Mc 3, 5 ; 7, 18 ; 8, 12 ; 9, 19
5. À travers la mission divine du Fils, c'est le Père lui-même qui vient à nous, selon la promesse johannique : cf. Jn 14, 23.
6. Cf. IGNACE D'ANTIOCHE, *Ad Magnes.* VIII, 2 ; DAMASE, *Carmina* II, 1-3 ; JEAN DE LA CROIX, *Avis et Maximes*, chap. XIII, 307 : « Le Père céleste a dit une seule Parole : c'est son Fils. Il la dit éternellement et dans un éternel silence. »
7. *Denhâ* : cf. Lc 1, 78-79.
8. *Ruḥānâ* : cf. Jn 4, 24 ; *Nat.* VI, 11.
9. *Yaldâ* : trace de la christologie primitive des *Actes* et de la *Didaché* (παῖς) ; cf. Ac 3, 13 et 16.

Afin que par ce corps fût tangible sa Puissance,
Et que par ce corps eussent vie
Les corps des fils de Sa race[1] !

4. Gloire au Caché[2]
Dont l'Enfant est devenu visible !
Gloire au Vivant
Dont le Fils a été mort !
Gloire au Très-Grand
Dont le Fils est descendu et s'est fait petit !
Gloire à la Puissance
Qui s'est façonné
Une Figure de sa Majesté,
Une Image de son Être caché !
Avec les yeux, avec l'intelligence[3],
Des deux (manières) nous l'avons vu.

5. Gloire au Caché
Qui, par l'intelligence même,
Ne saurait nullement être appréhendé
De ceux qui le scrutent,
Mais qui s'est rendu palpable en sa bonté
Au moyen de (son) humanité !
La Nature qui au grand jamais
Ne fut touchée,
Par les mains fut liée et attachée,
Par les pieds fut fixée et crucifiée :

---

1. Le « corps » (cf. Jn 1, 14) du Verbe, par lequel nous lui sommes « apparentés » (cf. Jn 1, 12 ; 1 Jn 3, 2 ; Ac 17, 28) remplit une double fonction : à la fois révélateur de Dieu (cf. Jn. 1, 18) et, moyennant la manducation eucharistique, vivificateur de l'homme (cf. Jn 6, 50-51).

2. *Kasyâ* : cf. Is. 45, 15. Plus loin Éphrem parlera de la *Kasyûtâ*, « invisibilité » de Dieu, dont le Fils est l'image (*ṣūrtâ* et *ṣalmâ*) : cf. Col 1, 15 ; He 1, 3.

3. Cf. *Nat.* XVI , 4.

Selon son bon plaisir, lui-même
Il a pris corps pour qu'on le saisît[1].

6. Béni soit Celui que (notre) liberté
A crucifié, parce qu'il lui en a donné licence !
Béni soit Celui que le Bois même
A porté, parce qu'il le lui a permis !
Béni soit Celui que le tombeau même
A contenu, parce qu'il s'est circonscrit !
Béni soit Celui que son Bon Plaisir
A conduit
Au sein et à la naissance,
Au giron et à la croissance !
Béni soit Celui dont les métamorphoses[2]
Ont rendu vie à notre humanité !

7. Béni soit Celui qui a consigné notre âme[3],
Qui l'a parée et se l'est fiancée !
Béni soit Celui qui a fait de notre corps
Une tente[4] pour son Invisibilité !
Béni soit Celui qui en notre idiome
A traduit ses secrets !
Rendons grâce à la voix
Dont la gloire sur notre lyre
Est chantée
Et sur notre cithare, la puissance !

---

1. L'incompréhensibilité divine est un thème familier des Pères du IVe siècle.

2. *Šūḥlap^hè* : cf. *Nat.* 1, 97.

3. *Ršam* : allusion au sceau baptismal : cf. *Nat* XXV, 6 ; *Virg.* VII ; CYRILLE DE JÉRUSALEM, *Catéchèse* III, 3, *PG* 33, 428 B.

4. Par l'Incarnation, la Nature divine, invisible (cf. str. 4) « fait sa tente » (ἐσκήνωσεν Jn 1, 14) dans le corps de l'homme : thème biblique et judaïque de la *Shekinah* (cf. Ex 40, 34 ; 1 R 8, 10-11).

Ensemble les Nations sont venues
Pour entendre ses chants[1] !

8. Gloire au Fils du Bon
Que les fils du Mauvais ont méprisé !
Gloire au Fils du Juste
Que les fils d'iniquité ont crucifié !
Gloire à Celui qui a délié nos chaînes
Et qui pour nous tous fut enchaîné !
Gloire à Celui qui s'est porté garant
Et qui a restitué !
Gloire au Beau
Qui nous a formés à sa ressemblance[2] !
Gloire au Pur
Qui n'a pas regardé à nos souillures[3] !

9. Gloire à celui qui a semé
Sa lumière dans les ténèbres !
Elles ont été condamnées par leurs vices
Pour avoir caché leurs secrets[4] !
En ôtant notre vêtement de souillure
Il nous a dépouillés.
Gloire au Très-Haut
Qui a mêlé
Son sel à nos esprits
Et à nos âmes son ferment !

---

1. Le Christ, nouveau David et nouvel Orphée, convertit par ses chants les nations païennes.
2. Cf. Gn 1, 26.
3. Pur : *šaphyâ*, cf. *Ha* 1, 13.
4. Passage d'interprétation difficile.

Son corps est devenu Pain
Pour donner vie à notre mortalité[1].

10. Merci au Riche
Qui a restitué à notre place à tous
Une somme qu'il n'avait pas empruntée,
Qui a souscrit et s'est fait à son tour notre débiteur[2] !
Il a brisé et jeté loin de nous, par son joug[3],
Les chaînes de notre Prédateur.
Gloire au Juge
Qui a été jugé,
Mais qui a fait siéger les Douze
Pour le jugement des tribus[4]
Et qui, par des gens sans instruction[5], a vaincu
Les scribes de ce Peuple !

11. Gloire à Celui qui jamais
N'a été par nous mesuré !
Notre cœur est si petit pour lui
Et si faible notre raison... !
Il déconcerte notre faiblesse
Par la richesse et la diversité de ses formes[6].

---

1. Le sel (cf. Mt 5, 13 ; Lc 14, 34 ; Mc. 9, 50 ; Col 4, 6 ; *Nat.* XV, 10 ; XVIII, 24 ; XXV, 4) et le levain : (cf. Mt 13, 33 ; *Nat* XVIII, 23 ; XXI, 9), substances vivifiantes, entrent dans la composition du pain eucharistique de la Pâque chrétienne, par opposition à l'azyme périmé de la Pâque juive (cf. *Az.* XVII-XIX).

2. Cf. *Nat.* V, 12

3. Cf. Mt 11, 29 ; le joug est ici une image de la croix (cf. Is 9, 3).

4. Cf. Mt 19, 28.

5. Transcription du grec ἰδιῶται ; cf. ATHANASE, *Sur l'incarnation du Verbe* 47, 5 (*SC* 199), p. 438-440.

6. Formes diverses que revêt volontairement la Nature divine, simple en elle-même ; par l'Incarnation en effet, l'Un s'est engagé dans le multiple. Nous préférons ici l'interprétation de McVEY, *Forms* (cf. *Nat.* I, 97) à celle de BECK qui, d'après *Par.* XII, 13 voit une diversité de procédés pédagogiques.

Gloire à Celui qui sait tout,
   Mais qui a consenti
À interroger, à écouter,
   Pour apprendre ce qu'il savait
Et pour révéler par ses questions[1]
   Le trésor de ses bienfaits.

12. Adorons Celui qui a illuminé
   Notre entendement par sa doctrine
Et frayé dans nos oreilles
   Un sentier pour ses paroles[2];
Remercions Celui qui a enté[3]
   Son Fruit sur notre arbre ;
Action de grâces à Celui qui a envoyé
   Son Héritier[4]
Pour nous attirer à lui-même par lui
   Et pour faire de nous ses héritiers avec lui[5];
Action de grâces au Très-Bon,
   Cause de tous les biens.

13. Béni soit Celui qui n'a pas fait de remontrances
   Parce qu'il est bon ;
Béni soit Celui qui n'a pas toléré les fautes
   Parce qu'il est juste aussi ;
Béni soit Celui qui a associé le blâme au silence
   Pour donner vie par l'un et l'autre.

---

1. Cf. Lc 2, 46-47 ; Mt 22, 20 et 41 ; Mc 10, 26 ; Jn 11, 34. Sur cette condescendance pédagogique du Christ, voir CYRILLE DE JÉRUSALEM, *Catéchèse* XII,
1, *PG* 33, 728 A.
2. Cf. *Nat.* I, 83.
3. Le *Pa'el* du verbe *t'ém* peut signifier encore : « qui a donné à goûter »,
ou « qui a goûté » ; en tout état de cause, le Fruit désigne le Fils et l'arbre, la
nature humaine.
4. Cf. Mt 21, 33-41.
5. Cf. Rm 8, 17.

Dur son silence
　　Et lourd de blâme !
Douce sa dureté,
　　Même lorsqu'elle condamne !
Il tance le menteur,
　　Mais le voleur, il l'embrasse[1].

14. Gloire au Laboureur[2]
　　Invisible de nos pensées !
Sa semence en notre champ s'est enfouie,
　　Enrichissant notre intelligence ;
Son revenu s'est monté[3] au centuple
　　Pour le grenier de nos âmes.
Adorons Celui qui s'est assis
　　Et qui s'est reposé[4],
Qui a marché sur la route,
　　Et il était la Route[5] sur la route
Et la Porte d'entrée[6]
　　Pour ceux qui par lui dans le Royaume ont pénétré.

15. Béni soit le Pasteur[7] qui s'est fait
　　Agneau pour notre propitiation !
Béni soit le Cep[8] qui s'est fait
　　Coupe de notre rédemption !
Bénie aussi la Grappe,
　　Source médicinale de la vie !

---

1. Le « menteur » (cf. Lc 22, 48) et le « voleur » (cf. Jn 12, 6) désignent Judas. Dans son *Commentaire de l'Évangile Concordant* XX, 12 (*SC* 121, p. 351) Éphrem souligne la douceur de l'attitude du Christ envers Judas.
2. Cf. *Nat.* VIII, 7-8.
3. Cf. Mt 13, 1-8.
4. Cf. Jn 4, 6.
5. Cf. Jn 14, 6 : le Christ-Voie se fait « viateur ».
6. Cf. Jn 10, 6.
7. Cf. Jn 10, 11 et 1, 29.
8. Cf. Jn 15, 1.

Béni encore l'Agriculteur,
    Car c'est lui
Le Grain semé[1]
    Et la Gerbe moissonnée !
L'Architecte[2] s'est fait
    Tour[3] où nous puissions nous réfugier.

16. Béni soit Celui qui s'est ajusté
    Nos sentiments et nos pensées
Afin de chanter sur notre cithare[4]
    Ce que le gosier de l'oiseau,
Avec ses mélodies,
    Était incapable d'exprimer.
Gloire à Celui qui a vu
    Notre complaisance
À ressembler aux bêtes
    Par notre rage et notre avidité,
Et qui est descendu, devenu l'un de nous
    Pour que nous devenions célestes.

17. Gloire à Celui qui jamais
    N'a besoin que nous le remercions,
Mais qui a besoin de nous chérir,
    Qui a soif de nous aimer
Et qui demande que nous lui donnions
    Pour nous donner davantage encore.

---

1. Cf. Jn 12, 24.
2. Cf. He 11, 10.
3. Cf. Ps 61, 4 ; Mt 21, 33. La tour appartient aussi aux métaphores judéo-chrétiennes de l'Église : cf. J. DANIÉLOU, *Théologie du judéo-christianisme*, p. 319-322.
4. La cithare (cf. str. 7) devient ici l'image de l'humanité du Verbe dans sa fonction instrumentale ; ATHANASE la définit souvent comme ὄργανον (*Sur l'incarnation du Verbe* 9, 2 ; 42, 5-7 ; 43, 4).

Son Fruit à notre humanité
S'est uni
Pour que par lui nous soyons attirés à lui,
Car lui-même vers nous s'est incliné,
Par le Fruit de la Racine,
Il nous ente sur son Arbre[1].

18. Remercions Celui qui a été frappé
Et qui nous a sauvés par ses blessures ;
Remercions Celui qui a ôté
La malédiction par ses épines[2] ;
Remercions Celui qui a fait mourir
La mort par sa mort ;
Remercions Celui qui a gardé le silence[3]
Et nous a acquittés ;
Remercions Celui qui a appelé à grands cris
La mort[4] qui nous avait engloutis.
Béni soit Celui dont les bienfaits
Ont spolié les adversaires[5] !

19. Glorifions Celui qui, par ses veilles[6],
A assoupi notre Bourreau ;
Glorifions Celui qui, par son sommeil[7],
Nous a réveillés de notre torpeur ;
Gloire à Dieu,
Médecin du genre humain !

---

1. Cf. str. 1 et 12. Dans la deuxième partie de cette strophe, c'est le Père qui est sujet grammatical, plutôt que le Fils. La métaphore trinitaire de la Racine (le Père) et du Fruit (le Fils) se trouve déjà chez TERTULLIEN, *Adversus Praxeam* VIII, 7 (cf. BECK, *Ephräms Trinitätslehre*, p. 5-6).
2. Cf. Mc 15, 17.
3. Cf. Mt 26, 63 ; 27, 14.
4. Cf. Mt 27, 50.
5. Littéralement : « la gauche ».
6. Cf. Lc 6, 12 ; 22, 39-46.
7. Cf. Mt 8, 23-27.

Gloire à Celui qui, baptisé,
  A submergé
Dans l'abîme notre iniquité
  Et noyé Celui qui nous noyait[1] !
À pleine bouche glorifions
  Le Seigneur de tous les moyens (de salut).

20. Béni soit le Médecin qui est descendu
      Pour inciser sans causer de douleur
    Et qui a soigné les blessures
      Avec un remède sans violence !
    Le remède, c'est sa Naissance
      Qui fait grâce aux pécheurs.
    Béni soit Celui qui a demeuré dans le sein
      Et qui s'est construit là
    Un Temple pour y habiter,
      Un Sanctuaire pour y vivre,
    Un Vêtement pour y resplendir[2],
      Et pour vaincre avec elle, une Armure !

21. Béni soit Celui que notre bouche
      Est incapable de remercier,
    Parce que sa Donation
      Dépasse ceux qui sont doués de langage ;
    Nos sens non plus ne peuvent
      Remercier Sa Bonté ;
    Si grandes en effet que soient nos actions de grâces,
      C'est encore si peu !
    Mais puisqu'il n'y a nul profit
      À nous taire et à subir un dommage,

---

1. Cf. Ex 1, 22.
2. Satan, dont Pharaon est le symbole : cf. Ex 1, 22.

Que notre faiblesse s'acquitte de son dû :
La cantilène de notre louange[1].

22. Très-Bon, toi qui n'exiges pas
    Au delà de nos forces,
De quel jugement est passible ton serviteur
    Quant au capital et aux intérêts !
Car il n'a pas donné de mesure
    Et il a fraudé sur ce qu'il devait.
Océan de gloire
    À qui rien ne manque,
Reçois dans ta bonté
    Une goutte de louange
Dont, par ta grâce,
    Ma langue est pour ta gloire humectée !

Fin

---

1. Sur la nécessité et l'insuffisance de la louange vocale, voir CYRILLE DE JÉRUSALEM, *Catéchèse* VI, 2-5, *PG* 33, 541 A-545 B.

HYMNE IV

Cette pièce – la plus imposante du recueil du point de vue quantitatif – présente, comme l'*Hymne* I, tous les aspects d'une unité littéraire épargnée par les démembrements ultérieurs. La légèreté du mètre adopté, d'autre part, fait songer à une homélie métrique, à un *mimrâ*. L'exubérance de l'inspiration n'interdit point de parler encore de composition : dans le vaste *allegro* du premier mouvement (str. 1-145), le flux égal des courtes strophes laisse apercevoir un agencement très souple des thèmes qui n'obéit à nulle autre logique qu'au procédé indéfiniment associatif propre au génie éphrémien.

La strophe 146 amorce le second mouvement de la composition (str. 146-214), sorte d'*andante* aux articulations plus indécises, d'« élévation » sur le mystère de Noël. Le binôme *kasyâ/galyâ (caché/manifeste)*, fondamental dans la christologie d'Éphrem, s'avère ici particulièrement fécond; derrière le silence et l'humilité du Nouveau-né, il fait découvrir, omniprésentes et efficaces, la Puissance et la Volonté (str. 160-176) du Verbe, sa Compassion (str. 195) et sa Majesté (str. 196-198). La veine contemplative se mêle à une veine plus didactique (str. 162-164 ; 199-202). Nul ne peut apporter son concours à l'économie de l'Incarnation sans rendre au Christ ses propres dons, qu'il s'agisse des Mages (str. 181), de Marie (str. 182-191), de Syméon (str. 208-209), de Jean-Baptiste (str. 210-211) ou de Marthe (str. 213).

La dernière strophe évoque une *table*. Table de change ? Table eucharistique aussi peut-être. Nous tiendrions dès lors une clef sacramentelle pour ouvrir et fermer cette hymne qui se veut anamnèse du Mystère dans son intégralité : Noël, Pâques et Ascension – trinité liturgique – partagent le même caractère de théophanie (str. 59). Reste qu'Éphrem a emporté avec lui le secret de sa prolixité.

HYMNE IV

Encore (une hymne) sur la Nativité
Sur l'air : « Rassemblons-nous, célébrons (la fête)
au mois de Nisan »

*Structure métrique : Chaque strophe est composée de deux vers de cinq plus
quatre syllabes (cf. Az. III-VI; XIII-XIX).*

1. Béni soit, mon Seigneur, ton Jour,
  Celui-là, le Premier,
 Car en lui était déterminé
  Ce jour de ta festivité[1]!

Refrain : Béni soit Celui qui à nous de toi fit don,
   Bien que nous ne t'ayons point demandé,
  Afin que par toi nous rendions grâce à ton Père
   Pour sa Donation[2].

---

1. Cette première strophe est très représentative de la théologie éphrémienne de la fête liturgique; cette dernière est comme précontenue et pré-
déterminée dans le jour de l'événement salvifique, lui-même arraché à la
contingence de l'historicité par sa dimension mystérique. Tout l'équilibre de
la strophe consiste dans l'opposition entre « ce jour-là » *(hū)* et cette festi-
vité-ci *(hānā).* Cf. P. YOUSIF, *L'Eucharistie...* p. 362-364 et p. 363, n. 16;
S. P. BROCK, *The Poet as theologian,* p. 56.
2. Notre action de grâces pour le don fait par le Père dans la personne de
son Fils (cf. Jn 3, 16; 2 Co 9, 15) passe obligatoirement par le Fils lui-même
qui seul la proportionne à ce don.

2. Ton Jour te ressemble :
>   Ami des hommes,
> Il se transmet et vient
>   Avec toutes les générations.

3. C'est un Jour qui jusqu'au bout accompagne
>   Les personnes âgées,
> Puis revient et recommence
>   Avec les nouveau-nés.

4. C'est un Jour qui, dans son amour,
>   Se renouvelle,
> Afin que sa Puissance renouvelle
>   Notre vétusté[1].

5. Quand ton Jour nous a visités,
>   Quand il a passé, s'en est allé,
> Dans sa clémence il revient
>   À nouveau nous visiter.

6. Il sait qu'indigente
>   Est l'humanité ;
> En tout point il te ressemble
>   Puisqu'il lui a emprunté[2].

7. À sa source
>   La création a besoin (de s'abreuver)
> De lui, mon Seigneur, comme aussi de toi,
>   Elle est tout entière assoiffée.

---

1. Cf. Irénée de Lyon, *Adv. Haer.* III, 10, 2.
2. Traduction conjecturale du syr. *Kad šāʿel lāh* ; McVey : « in its concern for humanity » ; Beck ne traduit pas.

8. C'est le Jour qui aux temps
        Impose le joug de son empire,
    Et la longueur du temps, victorieuse de tout,
        Ne saurait l'abolir.

9. Car ils ont passé, les rois,
        Avec leurs images[1];
    Elles ont cessé, les fêtes
        Qui rappelaient leur souvenir.

10. (Mais) l'empire de ton Jour
        Est semblable au tien :
    Il s'étend aux générations
        Passées et à venir.

11. Ton Jour te ressemble :
        Bien qu'il soit unique,
    Il ramifie et croît
        Pour te ressembler.

12. Seigneur, en ce Jour tien
        Qui est tout près de nous,
    Nous contemplons ta Naissance
        De nous éloignée.

13. Que ton Jour comme toi
        Soit pour nous, Seigneur;
    Qu'il soit médiateur
        Et garant de paix.

---

1. Le terme employé ici par Éphrem *(yūqnâ)* est le décalque du grec εἰκών.
Il s'agit du culte du portrait impérial, selon l'usage hellénistique et romain.

14. Ton Jour réconcilie
    Le ciel et la terre,
    Car en lui Celui qui est d'en haut est descendu
        Chez ceux qui sont d'en bas[1].

15. Ton Jour est capable
        De nous réconcilier avec le Juste
    Qui s'irritait
        De nos péchés.

16. Voici que, de nos dettes, par myriades,
        Ton Jour nous fait remise,
    Car la Tendresse aujourd'hui se lève
        Sur les débiteurs.

17. Grand ton Jour, mon Seigneur !
        Que pour nous il ne soit pas petit !
    Que selon sa coutume il ait pitié
        De nos folies.

18. Et si tous les jours, mon Seigneur,
        Débordent de ton indulgence,
    Combien plus grande en ce Jour
        En sera l'abondance !

19. Tous les jours
        Du trésor
    De ton Jour magnifique
        Tirent de bonnes choses.

20. Toutes les fêtes
        Au dépôt

---

1. Cf. Jn 3, 31 ; 8, 23.

De cette Fête
      Empruntent leurs beaux atours[1].

21. Ta tendresse en ton Jour
      Déborde sur nous, mon Seigneur ;
Fais-nous connaître ton Jour
      Mieux que tous les autres jours.

22. Grand est le trésor
      Du Jour de ta Naissance :
Qu'il serve d'acquittement
      Aux débiteurs.

23. Grand est ce Jour
      Plus que tous les jours,
Car en lui le Miséricordieux est venu
      Chez les pécheurs.

24. Trésor médicinal
      Que ton grand Jour,
Car en lui le Remède de vie s'est levé
      Sur les blessés.

25. Grenier de bienfaits
      Que ce Jour
Où la lumière a brillé
      Sur notre aveuglement.

26. C'est une gerbe aussi vraiment
      Qu'il vient nous apporter,
D'où sur notre famine
      Provient le rassasiement.

1. Cf. *Nat.* V, 1.

27. Grappe précoce
> Que ce Jour :
> La Coupe de la Rédemption
> Y est cachée.

28. Aîné des fêtes
> Que ce Jour :
> Il l'emporte par son aînesse
> Sur toute solennité.

29. Pendant l'hiver qui prive
> Les branches de fruits,
> Du sarment stérile
> Un Fruit pour nous s'est levé.

30. Pendant les frimas qui dépouillent
> Tous les arbres,
> Un surgeon a bourgeonné pour nous
> De la Maison de Jessé[1].

31. En Kanoun[2] qui cèle
> En terre la semence,
> Du sein a germé
> L'Épi de vie.

---

1. Cf. Is 11, 1.

2. *Kanūn,* mois du calendrier syriaque qui correspond à décembre-janvier, a vu la naissance du Seigneur (cf. *Nat.* XXVII, 21) ; *Nisan* (mars-avril), mois du printemps et de la Pâque, est à la fois l'époque de sa conception virginale (cf. *Nat.* XVII, 3 et 18, 22), de sa descente au Shéol et de sa Résurrection (cf. *Rés.* I, 3 ; IV, 13). Éphrem observe une sorte de chassé-croisé entre saisons cosmiques et saisons christiques : l'épiphanie coïncide avec l'hiver et la kénose avec le printemps.

32. En Nisan[1] où la semence
            À l'air libre s'épanouit,
      La Gerbe en pleine terre
            S'est elle-même enfouie.

33. La Mort dans le Shéol
            L'a moissonnée, engloutie,
      Mais le Remède de vie
            Qui s'y cachait en a jailli.

34. Car c'est en Nisan, lorsque les agneaux
            Bêlent par la campagne,
      Qu'est entré dans le sein
            L'Agneau pascal.

35. Dans le fleuve d'où
            Les pêcheurs étaient remontés,
      Le Pêcheur universel
            A plongé, puis en est remonté[2].

36. Du Fleuve où Simon
            Pêchait ses poissons
      Le Pêcheur d'homme
            Est remonté, pêchant Simon.

37. Avec la Croix qui capture
            Tous les brigands,

---

1. Cf. p. 82, n. 2.
2. Collusion midrachisante entre le lac de Tibériade, cadre de l'appel des premiers disciples (cf. Mc 1, 16-20) et le Jourdain, cadre du baptême de Jésus (cf. Mc 1, 9). Le verbe *'amad*, plonger, a une connotation baptismale certaine. Quant à l'image du Christ pêcheur, elle vient des Synoptiques eux-mêmes (cf. Mc 1, 16). Cf. MURRAY, *Symbols*, p. 176-178 et *Virg.* XXIII, 8.

Il a capturé le Larron[1]
　　Pour en faire un vivant.

38. Le Vivant par sa mort
　　A spolié le Shéol :
Il l'a ouvert à des foules indemnes
　　Donnant de là l'envol.

39. Publicains, prostituées[2],
　　Filets d'impureté :
Ces filets du Trompeur
　　Le Saint les a pêchés !

40. De la pécheresse[3] qui prenait
　　Les hommes en ses filets,
Il a fait le miroir
　　Des pénitentes.

41. Le figuier vermoulu
　　Qui refusait ses fruits,
De Zachée comme d'un fruit
　　A fait présent[4].

42. Son fruit naturel,
　　Point ne l'avait donné,
Mais il donna un fruit
　　De parole doué !

43. Notre Seigneur a incliné sa soif
　　Au bord du puits :

1. Cf. Lc 23, 39-43.
2. Cf. Mt 9, 11.
3. Cf. Lc 7, 36-50.
4. Même collusion midrachisante entre Mt 21, 18-19 et Lc 19, 1-10 en *HdF.* XXV, 13-15.

Il pêche l'assoiffée
  Par l'eau qu'il lui réclame[1].

44. De la fontaine
    Il a pêché une seule âme,
  Mais par elle il a repêché
    Toute une ville[2].

45. De douze pêcheurs
    Le Saint a fait la pêche,
  Mais par eux il a repêché
    Toute la création[3].

46. L'Iscariote échappa
    À ses filets,
  Mais sur sa nuque
    Tomba la pendaison[4].

47. Le filet du Vivificateur universel
    Pêche pour donner la vie :
  Qui lui échappe
    Échappe à la vie.

48. Mais qui pourrait
    M'énumérer
  Les bienfaits si divers,
    Mon Seigneur, en toi cachés ?

49. Comme elle peut boire,
    La bouche altérée,

---

1. Cf. Jn 4, 7.
2. Cf. Jn 4, 39-42.
3. Cf. Mt 10,1-5 ; 28, 19.
4. Cf. Mt 27, 5 ; Ac 1, 18.

À la Source
De la Divinité!

50. Exauce aujourd'hui
Le cri de notre supplication :
Que les mots de notre prière
Deviennent réalité.

51. Fais-nous oublier, ô mon Maître,
Ce que nous avons vu ;
Que ta solennité fasse passer la nouvelle
Que nous avons entendue.

52. Notre esprit s'égarait
Entre les voix :
ô Voix du Père,
Apaise les (autres) voix[1] !

53. Le monde est en tumulte :
Qu'il soit grâce à toi pacifié !
Toi, grâce à qui se tut la mer,
Une fois les bourrasques calmées[2].

54. Les démons se sont réjouis
Au bruit du blasphème ;
Que les Veilleurs aient en nous sujet de joie
Comme à l'accoutumée !

---

1. L'expression « Voix du Père » peut désigner la Personne du Verbe (*qâlâ* cf. *Nat.* 26, 5) ; en l'occurrence il s'agit plutôt, semble-t-il, de la déclaration solennelle du Père lors du baptême (Mt 3, 17) et de la Transfiguration (Mt 17, 5 ; cf. aussi Jn 12, 28) ; Éphrem désire que cette voix impose silence à la cacophonie théologique qui s'élève du monde chrétien agité par la crise arienne (str. 53-55). Cf. *HdF.* LIII, 2.
2. Cf. Mt 8, 23-27.

55. De ton bercail
   S'élève un cri de détresse :
   Que grâce à toi, Joie de l'univers,
   Ton troupeau soit en liesse !

56. De nos murmures, ô mon Maître,
   Ne nous tiens pas rigueur :
   Si notre bouche geint,
      C'est qu'elle est pécheresse.

57. Que ton Jour, mon Seigneur,
      Apporte toute joie !
   Avec des fleurs de paix
      Nous fêterons ta Pâque.

58. Qu'au jour de ton Ascension
      Nous soyons exaltés :
   Qu'avec le Pain nouveau
      En soit fait Mémorial.

59. Seigneur, multiplie pour nous
      La paix, pour que nous fêtions
   Les trois Solennités
      De la Divinité[1].

60. Grand est ton Jour, mon Seigneur :
      Qu'il ne soit point méprisé;
   Chacun entoure d'honneur
      Le jour où il est né.

---

1. Les str. 57-59 associent étroitement les trois principales fêtes de l'année liturgique, celles qui étaient organisées en Mésopotamie au temps d'Éphrem; elles ont en commun de manifester la divinité (str. 59) du Christ; elles célèbrent des événements salvifiques qui trouvent leur place dans l'anamnèse eucharistique (str. 58, *dūkrânâ*. Cf. P. YOUSIF, *L'Eucharistie*, p. 143; O. CASEL, *Faites ceci en mémoire de mo*i, Paris 1962, p. 41-44).

61. Ô Juste, observe, honore
    Le Jour de ta Nativité,
  Puisqu'Hérode a honoré
    Le jour de sa nativité[1] !

62. La danse lascive
    Plut au tyran :
  Que des chastes femmes, mon Seigneur,
    Te plaise le chant !

63. Que te rende propice, mon Seigneur,
    Le chant des chastes femmes :
  Garde leurs corps
    Saintement[2].

64. Le jour d'Hérode
    Est à sa ressemblance :
  Ton Jour aussi
    Est à ta ressemblance.

65. Le jour de l'homme morbide
    Est morbide à cause du péché,
  Mais candide comme toi
    Est ton Jour candide.

66. La fête du tyran
    A tué le Héraut[3] :
  En ta solennité, chacun
    De ta gloire se fait le héraut.

---

1. Cf. Mc 6, 21-29 ; *Nat.* XXI,1.
2. *qaddyšayt* : c'est-à-dire « dans la continence ».
3. Jean-Baptiste. Mt 14, 1-12.

67. Au jour du meurtrier
        La voix s'est tue,
    Mais en ton Jour à toi,
        Festives voix !

68. L'impur, en sa solennité,
        Avait éteint la Lampe[1]
    Pour que l'obscurité
        Couvrît les adultères.

69. Le Temps du Saint
        Dispose des lampes
    Pour que fuient les ténèbres
        Avec leurs mystères[2].

70. Le jour du renard[3]
        Comme lui sentait mauvais,
    Mais sainte est la Solennité
        De l'Agneau Véritable !

71. Le jour de l'éphémère,
        Comme lui, n'était que de passage,
    Mais ton Jour, comme toi,
        Tient bon à jamais.

---

1. Titre donné par Jésus à Jean-Baptiste en Jn 5, 35.
2. Le verbe « *sedar* », ranger, disposer, a un sens liturgique : on pense au « Séder » de la liturgie juive. Nous avons dans cette strophe, semble-t-il, l'une des premières attestations sur l'usage liturgique des lampes et sa signification symbolique : cf. H. LECLERCQ, *DACL*, art. « Lampes », VIII, 1, 1086-1221 ; I. DALMAIS, *Le thème de la lumière dans l'office du matin des églises syriennes orientales* (*Lex orandi* 40), Paris 1967, 257-276.
3. Jésus désigne ainsi Hérode-Antipas en Lc 13, 32.

72. Le jour du tyran,
>   Comme lui, faisait rage :
> Il a réduit par force au silence
>   La voix du juste.

73. La fête de l'Humble
>   Est comme lui douceur :
> Son soleil se lève[1]
>   Sur ses calomniateurs.

74. Il savait, le tyran,
>   Qu'il n'était pas roi ;
> Aussi a-t-il cédé la place
>   Au Roi des rois.

75. Un jour entier, mon Seigneur,
>   Ne me suffirait pas
> Pour comparer ta gloire
>   À sa condamnation[2].

76. Que ton Jour, Miséricordieux,
>   Passe sur ma folie,
> Car à un jour immonde
>   J'ai comparé ton Jour !

77. Oui, grand ton Jour
>   Au delà de toute comparaison ;
> Il ne se peut comparer
>   Avec nos journées.

---

1. Cf. Mt 5, 45, le verbe « *'saq* » (accuser faussement) est souvent employé dans les hymnes V-XVIII pour désigner tout spécialement l'attitude de ceux qui décrient et nient la conception virginale du Christ.
2. Y a-t-il jeu de mots entre *qulâsâ* (gloire) et *qulqâlâ* (ignominie) ?

78. Le jour d'un être humain
       Est tel un jour terrestre,
   Mais le Jour de Dieu
       Est tel un jour divin.

79. Ton Jour est plus grand, mon Seigneur,
       Que celui des prophètes,
   Et je m'en suis saisi pour le rapprocher
       De celui d'un meurtrier !

80. (Mais) Tu sais, toi, Seigneur,
       Toi qui sais tout,
   Entendre les comparaisons
       Que ma langue profère.

81. Que ton Jour exauce
       Notre requête de vie,
   Comme son jour à lui satisfit
       Une requête de mort.

82. Le roi misérable
       Avait juré, en son anniversaire,
   Que la moitié de son royaume
       Serait de la danse le salaire[1].

83. Mais que ta Fête à toi,
       Ô toi qui enrichis l'univers,
   Dilapide, comme il est convenable,
       Les miettes du festin[2]!

---

1. Cf. Mc 6, 23.
2. Cf. Mt 15, 27; Mc 7, 28. On peut interpréter cette strophe comme une invitation à faire l'aumône (cf. *Nat.* I, 84, 93-95) ou comme une allusion à l'eucharistie dont les strophes 84-108 feront leur thème principal.

84. De la Terre assoiffée[1]
    Une Source a jailli ;
    Elle suffit à étancher
    La soif des Nations.

85. Du sein virginal,
    Comme d'un rocher,
    La Semence a germé
    D'où provient la moisson.

86. Joseph avait rempli
    D'innombrables greniers,
    Mais ils furent vidés, épuisés,
    Au temps de la famine[2].

87. Un seul Épi de Vérité
    A donné le Pain,
    Le Pain céleste
    Qui est illimité.

88. Le pain qu'avait rompu
    Dans le désert le Premier-né[3]
    S'épuisa, disparut,
    Bien que multiplié.

89. Derechef il rompit
    Un Pain nouveau
    Que ni générations ni races
    N'épuiseront.

---

1. Métaphore mariale : cf. *Nat.* XI, 4 ; XVIII, 13 ; XXVI, 6.
2. Cf. Gn 41, 27 s.
3. Évocation de la manne (Ex 16) et de la première multiplication des pains (cf. Mt 14, 15).

90. Ils s'épuisèrent, les sept
        Pains qu'il rompit;
    Ils furent consommés aussi,
        Les cinq pains qu'il multiplia[1].

91. L'Unique Pain qu'il rompit
        A vaincu la création;
    Plus il est partagé,
        Plus il se multiplie.

92. Il remplit aussi les jarres
        D'un vin excellent :
    On en puisa, il s'épuisa,
        Quoiqu'il fût abondant[2].

93. Bien que la coupe qu'il donna
        Fît un mince breuvage,
    Très grande en était la vertu,
        Illimitée.

94. La coupe reçoit
        Toutes sortes de vins,
    Mais le Mystère[3] en elle
        Reste identique.

95. A l'unique Pain qu'il rompit,
        Pas de limite;
    À l'unique Coupe qu'il mêla,
        Pas de borne.

---

1. Cf. Mt 15, 34 et 14, 17.
2. Cf. Jn 2, 6 s. (miracle de Cana).
3. « rāzâ » désigne ici très précisément la Réalité contenue sous les signes sacramentels.

96. Le Grain pour trois jours
        Ensemencé[1]
A levé; il a rempli
   Le Grenier de Vie.

97. Le Pain est spirituel
        Comme son Donateur;
Aux spirituels il donne vie,
   Spirituellement.

98. Mais qui le prend
        Corporellement
Le prend de façon téméraire[2]
   Et sans profit.

99. Le Pain du Compatissant,
        C'est avec discernement
Que le prend l'esprit,
   Comme un remède de vie.

100. Si les sacrifices des morts[3]
        Étaient immolés dans le mystère
Au nom des démons,
   Et même consommés,

101. Combien plus nous est-il séant
        Que du Saint Prélèvement,
– Son Mystère – avec pureté
   Soit célébré par nous la liturgie[4]!

1. Cf. Jn 12, 24.
2. *Ši'ayt* équivaut à μὴ διακρίνων de 1 Co 11, 29.
3. L'expression vient du Ps 106, 28; cf. Dt 32, 17; 1 Co 10, 20.
4. Afin d'en rendre sensibles les attaches vétéro-testamentaires *(tᵉrūmāh* et de *tenūpʰāh,* en hébreu, cf. Ex 25, 2; 35, 22), nous proposons de traduire par « Saint Prélèvement » l'expression technique *qūdšâ d-puršanâ* qui dési-

102. Qui mange d'un sacrifice
       (Offert) au nom des démons
       Devient démoniaque,
       Incontestablement.

103. Qui mange le Pain
       Du Céleste
       Devient céleste,
       Indubitablement.

104. Le vin nous apprend
       Qu'à lui semblable
       Il rend celui
       Qui en fait son compagnon.

105. Il porte grande haine
       À qui s'éprend de lui :
       Il l'enivre, le rend fou
       Et se moque de lui.

106. La lumière nous apprend
       Qu'à elle semblable
       Elle rend l'œil,
       Source de lumière[1].

107. Grâce à la lumière, l'œil
       Vit la nudité

gne chez Éphrem l'hostie du sacrifice eucharistique; sur le sens de cette expression, cf. P. YOUSIF, *L'Eucharistie*, p. 113. « Célébrer la liturgie » traduit le verbe *šamaš*, qui appartient au vocabulaire cultuel.

1. Littéralement « fils de lumière » ou « fils du luminaire », cf. Lc 11, 34. Selon la théorie optique platonicienne, l'œil émet un rayon lumineux qui rencontre la lumière extérieure.

Et à l'homme pudique
Aussitôt rendit la pudicité[1].

108. Cette nudité,
Le vin l'avait provoquée,
Lui qui, pour les pudiques même,
N'a point d'égards.

109. De l'arme du Trompeur
Le Premier-né s'est muni,
Pour donner, par l'arme meurtrière,
Inversement, la vie.

110. Par le bois[2] qui nous avait tués,
Nous avons été sauvés;
Par le vin qui nous avait fait perdre sens,
Nous avons recouvré notre décence.

111. Par la côte qui d'Adam
Avait été tirée,
Le Malin a tiré
Le cœur d'Adam.

112. De la même côte[3]
A surgi une force cachée
Qui, comme Dagôn[4],
Brisa Satan.

---

1. Cf. Gn 9, 20-24 : l'ivresse de Noé.
2. *Zaynā* : il s'agit du bois de la Croix, réplique de l'arbre paradisiaque.
3. La femme (côte tirée d'Adam, cf. Gn 2, 21-22) qui avait été instrument de chute, devient, en Marie, la nouvelle Ève, instrument de rédemption cf. *Nat.* XIII, 2; Beck, *Mariologie*, p. 23.
4. Cf. 1 S 5, 4; cette scène est représentée sur la fresque de la synagogue de Doura Europos.

113. Car en cette Arche
      Était caché le Livre[1]
   Qui parle haut et clair
      Du Vainqueur.

114. En ceci encore
      Résidait un symbole évident :
   Dagôn fut écrasé
      Dans son propre asile.

115. Après le symbole
      Vint l'accomplissement :
   Le Malin fut écrasé
      Dans sa propre retraite[2].

116. Béni soit Celui qui est venu,
      Menant à leur plénitude
   Les symboles de la gauche
      Et de la droite[3].

117. Il a parfait le symbole
      Qui était dans l'agneau,
   Et il a parfait le type
      Qui était en Dagôn.

118. Béni soit Celui qui par l'Agneau
      Véritable nous a rachetés,
   Et qui a détruit notre Destructeur
      Comme (il avait détruit) Dagôn.

---

1. Cf. Ex 25, 21.
2. Comme Dagôn fut écrasé dans son propre temple, Satan fut écrasé dans son propre refuge : la femme.
3. Le Nouveau Testament accomplit les figures positives et négatives de l'Ancien.

119. En Kanoun, quand longues
          Sont les nuits,
      S'est levé sur nous le Jour
          Qui point ne finit.

120. En hiver, quand obscure
          Est toute la création,
      Est sortie la Beauté
          Qui réjouit toutes les créatures.

121. Pendant l'hiver qui rend
          La terre inféconde,
      La Vierge
          A appris à mettre au monde.

122. En Kanoun qui apaise
          L'ahan de la terre en gésine,
      Le travail d'enfantement est survenu
          À la Vierge.

123. L'agneau des prémices,
          Personne auparavant
      Ne l'avait vu, sinon
          Les bergers seulement.

124. De même l'Agneau de Vérité :
          Au temps de sa Naissance,
      Sa Bonne Nouvelle a fait diligence
          Auprès des bergers[1].

125 Double nouvelle
          Est-ce là peut-être,

1. Cf. Lc 2, 8-13.

Qu'un agneau dont ce n'était point le mois
    Parlât avant de naître,

126. Qu'un agneau dont ce n'était point la saison
    Devînt le héraut
De l'Agneau dont la Conception
    N'est point selon la nature[1]!

127. Le vieux Loup vit
    L'Agneau de lait
Et de frayeur fut saisi
    Parce qu'il était travesti.

128. Comme le Loup avait revêtu
    Le manteau d'une brebis[2],
Le Pasteur universel est devenu
    Agneau parmi les brebis;

129. De la sorte, quand le Vorace attaquerait
    Le Doux,
Le Puissant écarterait
    L'Engloutisseur.

130. Le Saint habitait le giron maternel
    Corporellement :
Voici qu'il habite l'esprit
    Spirituellement[3].

---

1. Jean-Baptiste, né contre toute attente de vieux parents (cf. Lc 1, 18) s'est manifesté comme précurseur dès avant sa naissance (cf. Lc 1, 41).

2. Cf. Mt 7, 15 : le loup désigne Satan.

3. « Le Saint » *(qūdšâ)* : cf. Lc 1, 35; pour « esprit » et « spirituellement », le syriaque utilise deux mots de racine différente : *tar'ītâ* et *rūḥânâyt.* Sur cette strophe et sur le thème de l'inhabitation divine chez les vierges, cf. BECK, *Mariologie,* p. 37, 38; S. P. BROCK, *The Luminous Eye,* p. 90.

131. Marie qui le conçut
　　　Détestait l'union charnelle :
　　　Que ne fornique point l'âme
　　　　Où il habite !

132. Quand Marie le perçut,
　　　　Elle laissa son époux :
　　　Voici qu'il habite en de chastes femmes,
　　　　Si elles le perçoivent.

133. Le sourd, du tonnerre
　　　　Ne perçoit point le grondement,
　　　Ni le téméraire,
　　　　La voix du commandement.

134. Car le sourd reste calme
　　　　À l'instant de la foudre,
　　　Et calme le téméraire
　　　　À la voix de l'avertissement.

135. Si l'effrayant tonnerre
　　　　Terrifie le sourd
　　　Et si l'effrayant reproche
　　　　Fait sur l'impur impression,

136. Au sourd qui n'entend point,
　　　　Nul blâme,
　　　Mais se boucher les oreilles,
　　　　Voilà bien l'impudence !

137. C'est de temps en temps
　　　　Que se produit le tonnerre,
　　　Mais la voix de la Loi
　　　　Tonne[1] quotidiennement.

---

1. L'image est sans doute suggérée par la théophanie du Sinaï : cf. Ex 19, 16.

138. Ne fermons point nos oreilles :
    Elles nous accuseraient !
Ce sont issues ouvertes
    Qu'il ne faut pas fermer.

139. La porte de l'audition
    Est ouverte par nature
Pour confondre de force
    Notre témérité.

140. Les portes des paupières
    Et la porte de la bouche
Peuvent être ouvertes ou fermées
    À volonté[1].

141. - 142. *(Le texte est très mutilé.)*

143. Gloire à la Voix
    Qui est devenue corps,
Au Verbe du Très-Haut
    Qui est devenu chair[2].

144. Les oreilles l'ont entendu,
    Les yeux l'ont vu,
Les mains l'ont touché,
    La bouche l'a mangé[3].

145. Membres et sens,
    Offrez louange

---

1. La vie sensorielle est soumise à l'empire du libre arbitre *(ṣébiânâ)*, notion chère à Éphrem.

2. Cf. Jn. 1, 14 ; « corps » traduit *gūšmâ* et « chair »*pagrâ*.

3. Cf. 1 Jn 1, 1 et Jn 6, 52-54. La manifestation du Verbe et la manducation eucharistique comblent tous les sens.

> À celui qui est venu vivifier
>   Le corps entier.

146. Marie portait
   L'Enfant silencieux,
Alors qu'étaient cachées en lui
   Toutes les langues[1].

147. Joseph le portait,
      Et en lui se cachait
   La Nature silencieuse
      Plus que tout ancienne.

148. Il reposait comme un enfant,
      Et en lui se cachait
   Un trésor de sagesse[2]
      En tout suffisant.

149. Il reposait, il suçait
      Le lait de Marie,
   Mais toutes les créatures
      Sucent ses bienfaits[3].

150. C'est lui le sein vivant
      Du Souffle de la vie[4];
   De sa vie s'allaitent
      Les morts, et ils reprennent vie.

151. Sans le souffle de l'air,
      Personne ne vit;

---

1. Sur les silences du Verbe incarné, cf. *Az.* XIII, 3, 4.
2. Cf. Col 2, 3.
3. Cette strophe et les suivantes témoignent d'une conception féminine de la divinité du Fils : cf. S. P. Brock, *The Luminous Eye,* p. 144.
4. Cf. Sg 7, 25; Lm 4, 20; Jn 1, 4; *Par.* IX, 14.

Sans la Puissance du Fils,
    Personne ne subsiste[1].

152. Au souffle vivifiant
    De Celui qui à tout donne vie,
Sont suspendus les souffles vitaux[2]
    De ceux d'en haut et de ceux d'en bas.

153. Alors donc qu'il suçait
    Le lait de Marie,
Lui-même allaitait
    Le monde de la vie.

154. Alors qu'il habitait
    Dans le sein de sa mère,
Dans son Sein habitaient
    Toutes les créatures.

155. Il se taisait comme un nourrisson,
    Et c'est lui qui donnait
Tous ses commandements
    À toute créature.

156. Car sans le Premier-né,
    Personne ne saurait
Approcher de l'Essence :
    Lui seul est en mesure.

157. Pendant les trente années[3]
    Où il fut sur la terre,

---

1. Cf. Col 1, 17 ; He 1, 3.
2. *nešmâ* : même mot qu'en Gn 2, 7 et Ps 150, 6.
3. Cf. Lc 3, 23 ; *Nat.* V, 6 ; XVIII, 4.

Qui gouvernait
  Toutes les créatures?

158. Qui recevait
  Toutes les offrandes,
La gloire rendue par ceux d'en haut
  Et par ceux d'ici-bas?

159. Il était tout entier dans la Profondeur
  Et tout entier dans la Hauteur;
Tout entier présent à l'univers
  Et tout entier présent à chacun[1].

160. Quoique son corps dans le sein
  Prît figure,
Sa Puissance disposait[2]
  Des membres la structure.

161. Quoique du Fils dans le sein
  Fût formé l'embryon,
C'est lui qui dans le sein
  Formait les nourrissons.

162. A l'inaction
  De son corps dans le sein
Ne répondait pas une inaction
  De sa Puissance dans le sein.

163. De même à l'affaiblissement
  De son corps sur la croix

---

1. Omniprésence du Verbe.
2. *Pa'el* du verbe *r⁴keb* ; cf. *Nat.* III, 16 pour les connotations musicales de ce verbe.

Ne répondait pas un affaiblissement
De sa Puissance sur la croix.

164. Car lorsque sur la croix
Il ressuscita les morts,
Était-ce son corps qui les ressuscitait,
Ou sa Volonté?

165. Ainsi quand tout entier
Il habitait le sein,
Sa Volonté cachée
Surveillait l'univers.

166. Vois : tout entier
Il pendait à la croix,
Mais sa Puissance ébranlait
Toutes les créatures.

167. Il obscurcit le soleil,
Il ébranla le sol,
Il ouvrit les tombeaux,
Il fit sortir les morts[1].

168. Vois donc : il est tout entier
Sur la croix;
Il est aussi pourtant
Tout entier présent à l'univers.

169. De même il est
Tout entier dans le sein;
Il est aussi pourtant
Tout entier dans l'univers.

---

1. Cf. Mt 27, 51-53.

170. Quoi qu'il fût en la croix,
　　　Il rendait vie aux morts;
　　De même, quoiqu'enfant,
　　　Il formait les enfants.

171. Quoique tué lui-même,
　　　Il ouvrait les tombeaux;
　　Quoiqu'en un sein lui-même,
　　　Il ouvrait les seins.

172. Venez, mes amis, écoutez
　　　À propos du Fils caché :
　　Il était visible par son corps,
　　　Mais sa Puissance était cachée.

173. Car la Puissance du Fils
　　　Est une Puissance libre;
　　Le sein ne la contraignait pas
　　　Comme elle eût fait d'un corps.

174. Tandis que la Puissance
　　　Résidait dans le sein,
　　C'est elle qui formait
　　　Les enfants dans le sein.

175. Sa Puissance embrassait
　　　Celle qui l'embrassait;
　　Retire-t-il sa Puissance?
　　　Tout tombe en ruine.

176. Bien qu'elle fût dans le sein,
　　　La Puissance qui maintient
　　Toutes les créatures
　　　N'abandonnait rien.

177. Il formait sa substance[1],
   L'Image, dans le sein,
Et formait en chaque sein
   Pour chaque être un visage[2].

178. Quoiqu'il fût élevé
   Parmi les indigents,
Du grenier d'abondance
   Il sustentait le monde.

179. Et quoique l'oignît
   (La femme) qui l'oignit[3],
De rosée et de pluie.
   Il oignait l'univers.

180. Les Mages lui offraient
   De la myrrhe et de l'or[4],
Quoiqu'en lui fût caché
   Un si riche trésor.

181. De myrrhe et d'aromates
   Qu'il a faits et créés,
Les Mages lui faisaient présent
   En prenant de son bien.

182. Avec la Puissance venue de lui,
   Marie fut en mesure
De porter en son sein
   Celui qui porte tout[5].

1. Le terme *qnūmā* équivaut au grec ὑπόστασις.
2. *parṣūpā*, décalque du grec πρόσωπον. Cf. Ps 139, 15, 16.
3. Cf. Mc 14, 3 ; Jn 12, 3.
4. Cf. Mt 2, 11.
5. BECK, *Mariologie*, p. 24, cite les str. 182-193 pour illustrer le caractère unitaire de la christologie d'Éphrem.

183. De l'immense trésor
De toutes les créatures,
Marie lui a donné
Tout ce qu'elle lui a donné.

184. Elle lui donna du lait,
Celui qu'il avait fait exister;
Elle lui donna de la nourriture,
Celle qu'il avait créée.

185. Il avait donné du lait à Marie
En tant que Dieu;
Il fut par elle allaité à son tour
En tant qu'homme.

186. Ses bras le soutenaient
Car il avait allégé son poids;
Son giron l'embrassait
Car il s'était fait petit.

187. L'étendue de sa Majesté,
Qui la mesurerait?
Il a réduit ses dimensions
À l'aune d'un vêtement.

188. Elle a tissé, elle l'a vêtu,
Lui, de sa gloire dévêtu;
À sa mesure elle a tissé,
Car il s'était rapetissé.

189. La mer le porta,
Elle se tut, s'apaisa[1] :

---

1. Cf. Mt 14, 26-32.

Mais comment le supporta
   Le sein de Marie?

190. Le sein du Shéol,
      Le concevant, se déchira :
   Mais comment le supporta
      Le sein de Marie?

191. Les pierres par-dessus les tombes,
      De sa voix, il les brisa[1] :
   Mais comment le supporta
      Le sein de Marie?

192. Tu es venu à l'humilité
      Pour rendre à tous la vie;
   Gloire à toi de par tous,
      Revenus par toi à la vie!

193. Qui est capable de parler
      Du Fils caché
   Qui descendit et revêtit
      Un corps dans le sein?

194. Il en sortit, et tel un enfançon
      Il suça le lait;
   Parmi les bambins il se traîna par terre,
      Lui, le Fils du Seigneur de l'univers.

195. On le voyait
      Sur la place comme un petit garçon,
   Tandis qu'en lui habitait
      L'universelle Compassion.

1. Cf. Mt 27, 52.

196. Les gamins sur la place
           L'entouraient visiblement,
      Mais, invisibles, l'entouraient
           Les Veilleurs tout tremblants.

197. Il était amène aux enfants
           Comme un nouveau-né;
      Il était terrible aux Veilleurs
           Comme un chef d'armée.

198. Il inspirait à Jean l'effroi
           De dénouer ses sandales[1];
      Il inspirait aux pécheurs
           La joie d'embrasser ses pieds[2].

199. Les Veilleurs le voyaient
           Comme (le peuvent) les Veilleurs;
      À la mesure de sa connaissance
           Chacun le voit.

200. Chacun à la mesure
           De son discernement
      Le perçoit,
           Lui, grand plus que tout.

201. Dans son Père seulement
           Est parfaite la mesure
      (Qui permet) de le connaître[3],
           Car (le Père) sait comme il est grand.

---

1. Cf. Jn 1, 27.
2. Cf. Lc 7, 38.
3. Cf. Mt 11, 25-27; Jn 10, 15.

202. Chacun selon sa mesure
  Acquiert de lui connaissance,
 Les natures d'en haut
  Et celles d'en bas.

203. Lui, le Seigneur de l'univers,
  Nous donne tout;
 Lui qui enrichit l'univers
  Emprunte à tous.

204. Il donne tout
  Comme n'ayant nul besoin;
 Il emprunte tout en revanche,
  Comme un indigent.

205. Il a donné bœufs et brebis
  Comme créateur,
 Puis il les a réclamés en sacrifice,
  Comme un indigent.

206. Il a changé l'eau en vin
  Comme créateur;
 Puis il en a bu
  Comme un homme du commun[1].

207. Prenant sur son bien, il l'a mélangé
  Lors du banquet de noces;
 Il a mélangé son vin, il l'a servi à boire,
  Quoiqu'il ne fût qu'un invité.

208. Le vieillard Syméon
  Par son amour si bien grandit

---

1. Cf. Jn 2, 1-12.

Qu'il offrit, lui, mortel,
Celui qui à tous donne vie[1] !

209. Grâce à la Puissance venue de lui,
Syméon put le porter :
Lui qui le présentait,
Il était présenté par lui.

210. À Moïse sur la montagne,
Il avait donné l'imposition des mains :
De Jean au milieu du fleuve,
Il l'a reçue[2].

211. Grâce à la Puissance de sa donation
Jean fut habilité ;
Et celui qui venait de la terre put baptiser
Celui qui venait du ciel.

212. Grâce à la Puissance venue de lui,
La terre put le porter ;
Elle allait se disloquer,
Mais sa Puissance l'a confortée.

213. Prenant sur ce qui est sien,
Marthe l'a nourri ;
Les mets qu'il avait créés,
Elle les a placés devant lui[3].

---

1. Le geste du vieillard Syméon (cf. Lc 2, 28) est considéré comme un geste sacerdotal d'offrande, un *qurbânâ*.
2. Le rite de l'imposition des mains fait partie du cérémonial de l'investiture des prêtres, dès l'Ancien Testament (cf. Lv 8) ; Éphrem voit dans le baptême conféré à Jésus par Jean dans le Jourdain (Mc 1, 9-11) une consécration sacerdotale.
3. Cf. Lc 10, 38-43.

214. C'est de ce qui est sien
   Que tous les donateurs ont fait vœu de lui donner ;
 Ce qu'ils ont pris à son trésor,
   Sur sa table[1] ils l'ont déposé.

Fin

---

1. BECK interprète cette « table » comme « table de change » ; la « banque » de Lc 19, 19-23.

HYMNE V

Cette pièce est à tous égards inaugurale : elle ouvre non seulement la série des « Berceuses » qui forment le noyau le plus ancien de la tradition manuscrite (le verbe *nṣar*, « bercer », figure expressément à la strophe 19), mais la première unité littéraire que nous y avons discernée.

Un thème musical fuse : *Voici le mois...* C'est la présentation allègre de *Kanoun* (janvier), mois de Noël; Éphrem use ici magistralement des ressources de légèreté et de concision que lui offre le rythme quadrisyllabique (str. 1-3).

Contrastant avec le confort dans lequel tous festoient selon leur condition, le dénuement du Christ restitue à l'humanité déchue sa *robe de gloire* et nous stimule à faire bon marché de nos répugnances (str. 4-6).

Éphrem exprime ensuite avec une particulière netteté sa conception de la fête chrétienne : ouverture exceptionnelle d'un trésor (str. 7-9), passage de l'Esprit (str. 10), libéralité du Christ qui, de notre créancier, s'est fait notre débiteur (str. 12).

La solennité de Noël-Épiphanie, tombant le treizième jour après le solstice d'hiver, offre dans le triomphe de la lumière visible un symbole de la victoire du Christ sur les puissances des ténèbres et concerte avec *Nisan* (avril), mois de la conception virginale (str. 13-15).

La voix d'Éphrem se tait pour laisser parler les deux « santons » principaux de la crèche : la basse (Joseph, str. 16-18) et la soprane (Marie, str. 19-24) se répondent en un duo sur le thème : *Qui m'a donné?...* (str. 17 et 19). Marie s'émerveille de la condition grandiose à laquelle sa maternité la promeut (str. 20-21), puis c'est l'extase toute pure devant le silence (str. 22) et le regard (str. 23) de l'Enfant.

La royauté du Christ s'affirme dans un double parallèle : avec David d'une part (str. 4 et 18), avec César-Auguste d'autre part (str. 12); celle de Marie, quant à elle, trouve son expression dans la str. 21.

Ce gracieux oratorio se recommande comme un poème de vigiles (str. 9); mais la *table* de la str. 24 suggère peut-être aussi, comme dans l'*Hymne* IV, un contexte eucharistique. La même strophe, en opérant la fusion de la métaphore vestimentaire (str. 1 et 4) avec la métaphore solaire (str. 13-15), donne à contempler sous les langes les *rayons* de la « doxa », dans une sorte de pressentiment de la Transfiguration future : l'hymne toute entière respire cette christologie de la Gloire dont l'Orient chrétien est l'initiateur.

HYMNE V

(Sur la mélodie :
« Qui pourrait dire...? »)

Structure métrique : chaque strophe est composée de dix membres de quatre syllabes.

1. Voici le Mois
      Qui tout entier
  Apporte joies :
      Franchise aux serfs[1],
  Fierté aux libres,
      Couronnes aux portes,
  Délices aux corps ;
      De pourpre même
  Dans son amour il fait jonchées
      Comme pour un roi.

Refrain : Gloire à toi, gracieux Enfant de la virginité !

2. Voici le Mois
      Qui tout entier
  Porte victoires,
      Libère l'esprit,

---

1. Cf. *Nat.* XXII, 5 et note.

Dompte le corps,
    Enfante Vie
Chez les mortels ;
    Son amour jette
(Livrées) divines
    Sur les humains.

3. En ce Mois
    Les serfs s'étendent
Sur leurs nattes,
    Et les gens libres
Sur leurs tapis,
    Et les rois
Sur leurs divans :
    Dans une crèche,
Pour l'univers,
    Repose le Maître de l'univers !

4. Ô Bethléem,
    Le Roi David
De fine étoffe était vêtu :
    Le Seigneur de David,
Le Fils de David,
    Cache en des langes
Sa Majesté,
    Fait de ses langes
Une robe de gloire
    Pour l'humanité !

5. En ce Jour,
    De la splendeur contre l'opprobre
Notre-Seigneur a fait l'échange
    En son humilité,
Parce qu'Adam avait troqué
    Dans sa révolte

Vérité contre Iniquité;
De lui le Bon a eu pitié;
Sa rectitude a eu raison
Des révoltés.

6. Que chacun donne chasse
À son dégoût,
Car il n'a point répugné
À la Majesté
De rester dans le sein
Neuf mois durant
À cause de nous,
Ni de vivre trente ans
À Sodome
Parmi des fous[1].

7. Le Bon, voyant
L'humanité
Pauvre et prostrée,
Créa les Fêtes
Et les ouvrit
Comme trésors
Aux paresseux,
Pour que la Fête incitât
Le paresseux
À se lever, à s'enrichir.

8. Voici la Fête
Comme un trésor
Ouverte à nous par le Premier-né;
Un Jour unique,

2. Cf. Lc 3, 23, Éphrem, à la suite d'Isaïe (I, 9-10), compare le peuple juif à Sodome.

Un Jour complet dans l'année,
    Nous ouvre seulement
Ce trésor :
        Venez avec empressement !
De lui faisons fortune
        Avant qu'il ne soit fermé.

9. Heureux veilleurs !
        De là ils pillent
Butin de vie ;
        Grande infamie
Pour qui, voyant
        Son prochain en sortir
Chargé de trésors,
        Reste assis, dort
En pleine Salle du Trésor
        Et les mains vides en sort !

10. En cette Fête,
        À chacun de couronner
La porte de son cœur[1] :
        Il convoite sa porte,
L'Esprit Saint :
        Il veut entrer, habiter,
Sanctifier l'intérieur ;
        Le voici qui maraude
À toutes les portes,
        (Cherchant) où habiter[2].

1. Cf. *Nat.* I, 83 ; VIII, 7 ; XVI, 7. Dans l'*Hymne* IV, 139, Éphrem parle aussi de la « porte de l'oreille ».

2. On songe volontiers à Ap 3, 20 à cause de l'image de la porte ; selon S. P. BROCK, il y aurait ici une référence directe à Ex 12, 7 et une imagerie pascale (cf. *The Luminous Eye*, p. 90).

11. En cette Fête,

    Les portes sont radieuses

Avec leurs courtines ;

    Le Saint[1] est en liesse

Dans le temple sacré ;

    Les chants résonnent

Dans les bouches enfantines[2] ;

    Le Christ est en liesse

Au milieu de sa Solennité,

    Comme un Commandeur d'armée.

12. À la Naissance du Fils,

    L'empereur avait prescrit

Un impôt capital

    À tous les hommes

Pour en faire ses débiteurs[3].

    Il est sorti vers nous, le Roi,

Pour effacer notre cédule[4] ;

    Il a souscrit de son propre nom

À une autre obligation

    Qui fait de lui notre débiteur.

13. Il triomphe, le luminaire,

    Et figure un mystère

Par les degrés de son ascension !

    Voici douze jours passés

Depuis qu'il monte,

    Et ce jour-ci

---

1. *Qūdšâ* : c'est-à-dire, selon Beck, l'autel de l'église.
2. Cf. Ps 8, 3 ; Mt. 2, 16 ; 21, 16 ; *Nat.* VIII, 19 ; XIV, 7.
3. Il s'agit de César Auguste : cf. Lc 2, 1 ; *Nat.* XVIII, 2.
4. Le Christ « efface la cédule de nos dettes » (l'expression vient de Col 2, 14) et se fait à son tour notre débiteur en s'engageant à rétribuer nos bonnes œuvres (cf. *HdF.* V, 20).

Est le treizième :
    Symbole achevé
De la Naissance du Fils
    Et de ses Douze[1].

14. Moïse avait enclos
        En Nisan l'agneau,
    Le dixième jour :
        Symbole du Fils qui
    Vint au sein
        Pour s'y enclore
    Le dixième Jour[2];
        Du sein il sort
    En ce mois-ci
        Où triomphe la lumière.

15. Les ténèbres ont cédé
        Pour indiquer
    La défaite de Satan,
        Et la lumière a triomphé
    Pour proclamer
        La victoire du Premier-né;
    Le Ténébreux a cédé
        Avec les ténèbres
    Et notre Lumière a triomphé
        Avec le luminaire[3].

---

1. La fête de Noël-Épiphanie (6 janvier) tombe le treizième jour après le solstice d'hiver. Cf. *Nat.* XXVII, 21.

2. La mise en réserve de l'agneau pascal, le dix de Nisan (cf. Ex. 12, 3 et 6), figure la venue du Fils dans le sein de Marie au jour de l'Annonciation qui, pour Éphrem, eut lieu à la même date ; cf. *Nat.* XXVII, 4, 21-22.

3. Cf. *Virg.* LII, 2.

16. Joseph cajolait
        Le Fils
    Comme un nourrisson ;
        Il le servait
    Comme son Dieu ;
        Il se réjouissait en lui
    Comme en la Bonté même ;
        Il avait soin de lui
    Comme du Juste :
        Grand paradoxe[1] !

17. « Qui m'a donné
        Que le Fils du Très-Haut
    Devînt mon fils ?
        Je m'irritais contre ta Mère
    Et je voulais la répudier[2]...
        Point ne savais
    Que dans son sein
        Se trouvait un trésor
    Qui enrichirait soudain
        Ma pauvreté !

18. David le Roi
        De ma race issu[3]
    Ceignit le diadème :
        À quelle bassesse, moi,
    Suis-je descendu !
        Car au lieu de roi,
    Charpentier suis[4]...

---

1. Même exclamation en *Nat.* XII, 2.
2. Cf. Mt 1, 19.
3. Cf. Mt 1-16 et 20.
4. Cf. Mt 13, 55 ; Lc 6, 23.

(Mais) le diadème m'est échu
Puisque voici dans mes bras
    Le Seigneur des diadèmes ! »

19. En des accents dignes d'envie,
        Brûlante d'amour, Marie
Le berçait elle aussi :
    « Qui a donné
À l'esseulée[1] que je suis
        Qu'elle conçût et enfantât
L'Unique et le Multiple[2],
        Le Tout-Petit et le Très-Grand à la fois ?
Il est tout entier présent à moi,
        Tout entier présent à l'univers aussi[3].

20. Au jour où Gabriel
        Entra
En mon pauvre logis[4],
        Noble Dame et Servante
Soudain me fit :
    Car Servante je suis
De ta Divinité,
        Et Mère aussi
De ton Humanité[5],
        Seigneur et Fils !

---

1. *Megazitâ* : le terme masculin correspondant signifie dans la langue ascétique « anachorète ». On songe à l'appellation « Virgo singularis » de la liturgie latine.

2. Cf. Sg 7, 22 ; *Nat.* IV 1, 11.

3. Cf. *Nat.* IV, 154 s.

4. Cf. Lc 1, 26-28.

5. On se tromperait à lire cette strophe selon les catégories de la christologie nestorienne, comme si, pour Éphrem, Marie était simplement ἀνθρωποτόκος. Son intention est de souligner le paradoxe de l'Incarnation et l'élévation qui résulte, pour Marie, de la maternité divine. Cf. BECK, *Mariologie,* p. 25.

21. La Servante soudain
    Devint Fille de roi,
Par toi, Fils de roi !
    Voici que dans la Maison de David,
À cause de toi,
    Fils de roi,
L'humiliée,
    La fille de la terre
Par le Céleste
    Au ciel atteint !

22. Comme j'admire!
    Il repose en ma présence,
L'Enfant, l'Ancien (des jours)[1]
    Dont au ciel tout alentour
Est suspendu le regard,
    Cependant que n'a de cesse
Le murmure de sa bouche.
    Comme il est à ma semblance,
Celui dont avec Dieu
    Parle le silence !

23. Qui a jamais vu
    Nourrisson porter son regard
Sur tout, partout ?
    Semblable est sa vision,
– Car c'est lui qui gouverne
    Toute la création
D'en haut et d'en bas –
    Semblable est son regard
Au Commandeur
    Qui commande à tout.

1. Cf. Dn 7, 9 et 13.

24. Comment ouvrirai-je
      Une source de lait
   Pour toi, la Source ?
      Comment te donnerai-je
   Encore nourriture,
      À toi qui de ta Table
   Sustentes tout ?
      Comment approcherai-je
   De tes langes,
      À toi que vêtent des rayons ? »

HYMNE VI

Il n'y a guère de doute que la pièce ne soit en réalité la
suite immédiate de la précédente, puisqu'elle enchaîne
tout naturellement avec elle sur les lèvres de Marie et
sur le même mode de l'interrogation: *Comment?...*
(str. 1-2; cf. V, 24). Persécutée par les détracteurs de la
conception virginale (str. 3-4), la Vierge suit son Fils
dans une fuite (en Égypte) orchestrée par la triple métaphore de la mer (str. 5), de la fosse et de la tombe
(str. 6).

Un diptyque de l'étoile et du Précurseur compare la
fonction révélatrice qu'ils assument respectivement à
l'égard du Christ (str. 7-11). Puis c'est, dans la crèche, le
défilé des principaux personnages de l'Évangile de
l'enfance : le vieillard Syméon (str. 12), la prophétesse
Anne (str. 13-14), le couple des *stériles*, Zacharie et Élisabeth (str. 15-17) avec le petit Jean-Baptiste (str. 18),
tandis que dans l'ombre Hérode trame son complot
meurtrier qui donne prétexte à une sorte de fabliau du
Renard et du Lion (str. 19-20). Bref, toute la création
conspire à une même attestation de l'Épiphanie messianique dont Éphrem, comme à son ordinaire, synthétise

les étapes, depuis l'annonce aux bergers jusqu'à l'entrée triomphale à Jérusalem (str. 21-22). Une pointe polémique : à la torpeur de Sion la déicide, réfractaire à tant de témoignages (str. 23), s'oppose la gratitude des Nations envers le Christ ressuscité, leur Éveilleur (str. 24), tandis que l'âne (str. 23) vient compléter, par une cinglante ironie, le bestiaire de l'hymne.

Ouverte par un débat sur les noms du Christ (str. 1-2), la pièce élabore peu à peu une petite somme christologique : l'une des *natures* de Jésus provient de la *Majesté*, l'autre de l'*humanité* (str. 10); il est à la fois *terrestre* et *céleste*, *spirituel* et *corporel* (str. 11), *Fils du Royaume* et *Fils de la bassesse* (str. 14), finalement *Dieu-homme* (str. 14).

On sera particulièrement attentif au thème du « cri » (str. 16-17, 21-24); l'impression sonore est encore appuyée par l'évocation des *bouches* (str. 21), des *voix* (str. 17 et 23), des sons de trompe et des Hosannas (str. 9, 22 et 24) .

HYMNE VI

(Sur la même mélodie)

1. Ma bouche ne sait
      Comment t'appeler[1],
Ô Fils du Vivant !
      M'enhardirai-je à t'appeler
« Fils de Joseph » ?[2]
      Tremblante suis,
      Car tu n'es point de sa semence ;
Renierai-je alors son nom ?
      Effarée suis,
Car à lui on m'a mariée[3].

Refrain : Gloire à Toi, Fils du Très-Haut, qui as assumé
                                  [notre corps !

2. Tu es le Fils de l'Unique :
      T'appellerai-je dès lors
Fils de plusieurs ?
      Des myriades de noms
Ne te suffiraient pas !

---

1. C'est Marie qui parle ; sur les strophes 1 et 2, cf. BECK, *Mariologie*, p. 24.
2. Cf. Lc 3, 23 ; Jn 1, 45.
3. Cf. Mt 1, 18.

Car tu es Fils de Dieu
Et Fils de l'homme aussi ;
Fils de Joseph,
Fils de David encore,
Et Fils de Marie[1].

3. Qui a rendu
(L'enfant) sans bouche[2]
Seigneur des bouches ?
À cause de ta pure Conception
Les méchants m'ont calomniée :
Ô Saint, fais-toi
le Défenseur[3] de ta Mère !
Montre des miracles
Qui les convainquent
Sur l'origine de ta conception.

4. À cause de toi
Me voici détestée,
Ami de tous ;
Me voici persécutée
Pour avoir conçu et enfanté
L'Unique Refuge
De l'humanité !
Qu'Adam soit en joie
Car tu es la Clef
Du Paradis.

---

1. Tous les titres christologiques de cette strophe sont scripturaires :
cf. Mc 1, 1 ; Mc 8, 31 ; Lc 3, 23 ; Lc 20, 41 ; cf. APHRAATE, *Démonstration XVII
sur le Messie, Fils de Dieu*, 1 , 2, 11 (*SC* 359), p. 730, 731 et 747 : « on le nomme
de multiples noms ».
2. Éphrem dit simplement : le « sans-bouche », c'est-à-dire l'enfant au
sens étymologique, *infans*.
3. *snīgrâ* (συνήγορος) ; cf. *Nat.* XII, 7 et XVIII, 32.

5. De l'Océan voici l'émoi
      Contre ta Mère,
  Comme contre Jonas[1];
      Voici Hérode, furieuse vague[2],
  Cherchant à engloutir
      Le Seigneur des océans !
  Où vais-je fuir ?
      Seigneur de ta Mère[3],
  Apprends-le-moi !

6. Avec toi je fuirai
      Pour gagner par toi
  La vie en tout lieu;
      Une fosse avec toi
  N'est plus une fosse,
      Puisque l'homme par toi
  Monte aux cieux;
      Une tombe avec toi
  N'est plus une tombe,
      Puisque tu es la Résurrection[4].

7. Une étoile de lumière
      Contre son habitude[5]
  Soudain a resplendi,
      Plus petite que le soleil
  Et plus grande que le soleil :
      Plus petite que lui
  Quant à l'éclat visible,
      Plus grande que lui

1. Cf. Jon 1, 4.
2. Cf. Mt 2, 3 et 16.
3. Y a-t-il jeu de mots entre *iammè* (océans) et *immâ* (mère) ?
4. Cf. Jn 11, 25.
5. Cf. Mt 2, 2 et 9, 10. ÉPHREM, *Commentaire de l'Évangile concordant* II, 23 (*SC* 121), p. 78.

Quant à sa puissance obscure,
   À cause de son mystère.

8. L'étoile de l'Orient
   A répandu ses rayons
Dans les ténèbres[1]
   Et les a guidés
Comme des aveugles ;
   Ils sont venus, ils ont reçu
Grande lumière ;
   Ils ont offert des présents,
Ils ont obtenu la vie,
   Ils ont adoré, puis sont repartis.

9. Dans la Hauteur comme dans la Profondeur
   Il y eut pour le Fils
Deux hérauts[2] :
   L'étoile de lumière
Claironne[3] d'en haut
   Et Jean aussi
Se fit ici-bas crieur[4] ;
   Tels furent les deux hérauts,
L'un de la terre
   Et l'autre du ciel.

10. Celui d'en haut
   Montrait sa nature
Provenant de la Majesté

---

1. Cf. Is 9, 1.
2. Même parallèle entre l'étoile et Jean-Baptiste en *Nat.* 24, 23.
3. Le verbe *yabeb* signifie « sonner de la trompette » (Nb 10, 5 ; Mt 6, 2 ; « pousser des cris de joie » (Nb 10, 9 ; Is 4, 5). L'image d'Éphrem fait songer à Jb 38, 7.
4. Cf. Is 40, 3 ; Jn 1, 23 ; Lc 3, 3.

Et celui d'en bas
Montrait sa nature[1]
  Provenant de l'humanité ;
Grande merveille !
  Sa Divinité
Et son Humanité
  Par eux furent annoncées.

11. De la sorte, qui le tient
  Pour terrestre,
Celui-là, l'étoile de lumière
  L'avertit
Qu'il est céleste ;
  Et qui le tient
Pour un pur esprit[2],
  Celui-là, Jean
L'avertit
  Que corporel il est aussi.

12. Dans le temple saint
  Syméon le portait
Et fredonnait pour Lui :
  « Tu es venu, Compatissant,
Tu as eu pitié de mon grand âge,
  Tu as fait entrer mes ossements
Au shéol dans la paix ;
  Grâce à toi je ressuscite
Et passe de la tombe
  En Paradis ! »[3]

---

1. Variante : son corps.
2. Littéralement « spirituel » *(rūḥânâ)*, opposé à « corporel » *(pagrânâ)*.
Éphrem s'élève contre toute théologie réductrice, quel qu'en soit le pôle.
3. La résurrection, ultime étape de l'œuvre rédemptrice, projette déjà sa
lumière sur la « sainte rencontre » (cf. Lc 2, 29-32) dans laquelle Éphrem

13. Anne l'a embrassé;
　　　Elle a appliqué sa bouche
　　Contre ses lèvres,
　　　Et, sur ses propres lèvres
　　A reposé l'Esprit;
　　　De même pour Isaïe :
　　Le silence gardait sa bouche close
　　　Quand l'ouvrit
　　Une braise
　　　De ses lèvres approchée[1].

14. Anne, toute embrasée
　　　Par l'Esprit sur sa bouche (posé),
　　Le berçait elle aussi :
　　　« Fils de royale condition,
　　Fils de vile condition[2] !
　　　Silencieux, tu entends;
　　Invisible, tu vois;
　　　Caché, tu comprends;
　　Dieu Homme,
　　　Gloire à ton Nom ! »

15. Les stériles[3] à leur tour entendirent (la nouvelle)
　　　Et vinrent en hâte
　　Avec leurs provisions;
　　　Les Mages vinrent

voit une épiphanie de Christ miséricordieux, comme en témoigne le *Commentaire sur l'Évangile concordant* II, 16 (*SC* 121), p. 74 : il devait lire en effet « miséricorde » au lieu de « salut » en Lc 1, 30.

1. Éphrem, sollicitant quelque peu la lettre de Lc 2, 32-38, imagine un baiser de la prophétesse Anne à l'Enfant pour en rapprocher la vision inaugurale d'Isaïe (Is 6, 5-7); sur cette métaphore de la « braise », cf. S. P. BROCK, *The Luminous Eye*, p. 81; P. YOUSIF, *L'Eucharistie*, p. 93.

2. *Malkūtâ* (royauté) et *šitūtâ* (abjection) expriment les deux conditions du Christ et ses deux natures : cf. Ph 2, 5-7.

3. Zacharie et Élisabeth : cf. Lc 1, 7.

Avec leurs trésors,
    Les stériles vinrent
Avec leurs provisions :
    Provisions et trésors
S'accumulèrent soudain
    Dans la maison des pauvres.

16. La stérile s'écria
    Comme à l'accoutumée[1] ;
« Qui m'a donné[2]
    De voir ton Tout-Petit,
Bienheureuse,
    Lui dont le ciel et la terre
Sont remplis ?[3]
    Béni soit ton Fruit
Qui a fait pousser une grappe
    Sur la vigne stérile ![4] »

17. Survint Zacharie,
    La bouche déliée[5] ;
Rayonnant il s'écria :
    « Où est le Roi
À cause duquel
    J'ai engendré la Voix
Qui servira de héraut devant lui ?[6]
    Salut, Fils de Roi !

---

1. Le scénario imaginé par Éphrem reproduit la scène de la Visitation (cf. Lc 1, 42) ; Élisabeth s'inscrit dans la tradition vétéro-testamentaire de la femme stérile (cf. Ps 113, 9 ; Is. 5, 3).

2. Même exclamation en *Nat.* V, 17 et 19 ; elle vient ici de Lc 1, 42.

3. Cf. Is 6, 3 : allusion implicite à la vision inaugurale, alors que dans la strophe 13 il y avait référence explicite.

4. Jésus, « fruit » de Marie (cf. Lc 1, 42) a rendu Élisabeth (la vigne stérile) capable d'enfanter Jean-Baptiste (la grappe).

5. Cf. Lc 1, 64.

6. Jean-Baptiste : cf. Mt 3, 3 (Is 40, 3).

Même notre sacerdoce[1]
T'est transmis. »

18. Jean s'approcha
    Avec ses parents
Et se prosterna devant le Fils :
    Une lueur en demeura
Sur son visage [2].
    Point ne bougea
Comme dans le sein ;
    Grande merveille !
Ici, il rendit hommage ;
    Là, il dansa de joie[3].

19. Hérode aussi,
    Le vil renard[4]
Qui faisait le fanfaron
    À la place du lion,
(Hérode) le renard était accroupi ;
    Il glapit en entendant
Rugir le Lion
    Qui venait se coucher
Sur son empire,
    Ainsi qu'il est écrit[5].

20. Mais le renard apprit
    Que le Lion n'était encore que lionceau,
À la mamelle quasiment ;
    Il aiguisa ses dents,

---

1. Zacharie était prêtre : cf. Lc 1, 5.
2. Allusion au baptême de Jésus ; cf. *Nat.* XXIII, 12 ; *HdF.* VII, 13.
3. Éphrem établit une comparaison avec la scène de la Visitation.
4. Cf. Lc 13, 32 ; *Nat.* IV, 70.
5. Cf. Gn 49, 9.

Lui, le renard, contre le Lion,
  Pour l'étrangler perfidement
Tant qu'il était encore petit,
  Et avant que, prenant des forces,
(Le Lion) ne le réduisît à néant
  Par le souffle de sa bouche[1].

21. La création tout entière
  S'est faite voix[2]
Pour l'acclamer ;
  Les Mages ont crié
Avec leurs présents,
  Les stériles ont crié
Avec leurs enfants ;
  L'étoile de lumière
Dans les airs a crié :
  « Voici le Fils du Roi ! »

22. Les cieux sont ouverts,
  Les eaux scintillent[3],
La colombe se déploie ;
  La voix du Père,
Plus puissante que tonnerre,
  Survient en hâte pour dire :
« Voici mon Bien-aimé.[4] »
  Les Veilleurs annoncent l'Évangile[5],
Les enfants jubilent
  Avec leurs Hosannas[6].

1. Cf. 2 Th 2, 8 ; Is 11, 4.
2. Littéralement « s'est faite bouche ».
3. Le verbe *pṣaḥ* évoque à la fois l'idée de lumière et celle de joie.
4. Cf. Mt 3, 17.
5. Cf. Lc 2, 13, 14.
6. Cf. Mt 21, 9 ; *Nat.* VIII, 19 ; XIV, 7.

23. Malgré ces voix
    Qui là-haut et ici-bas
Proclamaient à grands cris,
    La torpeur de Sion
Ne s'est point évanouie ;
    C'est par un âne qu'elle en fut secouée[1] ;
Il la piétina et la meurtrit ;
    Elle, en sursaut, se leva
Et tua le Veilleur[2]
    Qui l'avait réveillée.

24. Le Veilleur se leva
    Hors du tombeau,
Lui qui dort éveillé[3] ;
    Il vint, il trouva
Les Nations endormies ;
    Il sonna de la trompe[4], à grands cris
Les réveilla[5] ;
    Les endormis remercièrent
Le Veilleur qui d'eux fit
    Des veilleurs sur la terre.

1. L'âne de l'entrée messianique à Jérusalem : cf. Mt 21, 2.
2. Cf. Dn 4, 10-14 ; comme dans *Nat.* I, 62 et XXI, 4, ce titre s'applique ici au Christ.
3. Cf. Ps 121, 4.
4. Cf. Za 9, 14 ; 1 Co 15, 52.
5. Cf. Rm, 13, 11 ; Ep 5, 14.

HYMNE VII

La suture avec l'hymne précédente se laisse cette fois encore très aisément repérer : elle se fait sur le thème de la *veille* (str. 1 ; cf. VI, 24), sans compter que la pièce prolonge la « pastorale à santons » (cf. VI, 13-24).

Toute la création semble se donner rendez-vous dans la crèche, du premier au dernier barreau de l'échelle des êtres, des anges aux animaux muets (str. 1). Deux processions s'avancent : celle des bergers (chœur masculin, str. 2-8) apportant les produits de leurs troupeaux (str. 2) s'arrête devant le *Berger universel* (str. 5), en qui se récapitulent les trois grandes figures pastorales de l'Ancien Testament : Moïse (str. 5-6), Noé (str .7) et David (str. 8). Est-ce parce que les animaux parlent, dit-on, dans la nuit de Noël, que l'agneau précède ici les bergers dans l'expression de sa reconnaissance (str. 3-4) ? La procession des femmes (chœur féminin, str. 9-13) aboutit à l'*Enfant miraculeux de la virginité* (str. 13) et fait passer successivement devant nous tous les âges, toutes les conditions : épouses, vierges, fillettes (str. 9), aïeules (str. 10-11), mères des futurs Innocents (str. 12) et stériles (str. 13).

On remarquera, au fil de cette pièce, la prédilection d'Éphrem pour tout ce qui est faible et méprisé : l'enfant, la femme et le monde animal même pour lequel une tendresse quasi-franciscaine se fait jour.

Le motif pastoral hérité de l'orphisme et familier à l'iconographie paléochrétienne vient fusionner dans une synthèse originale avec le thème isaïen de la rénovation messianique opérée par un enfant (cf. Is. 11, 6-9) : l'Enfant-Pasteur (mais il est aussi Agneau !), *plus jeune que Noé* (str. 7), adoré par des petites filles (str. 9), restaure l'harmonie cosmique jusqu'à abolir les sacrifices sanglants (str. 4) et rend à Adam sa jeunesse paradisiaque (str. 8 et 11) soulignée par le refrain. De l'*Enfant miraculeux de la virginité* (str. 13), Éphrem a fait savamment le « point de mire » de cette nouvelle séquence qui s'ordonne naturellement autour de lui.

HYMNE VII

(Sur la même mélodie)

1. À la naissance du Fils,
      Grand tapage
   En Bethléem se fit !
      Les Veilleurs descendirent,
   Céans gloire rendirent[1]
      Violent tonnerre
   Étaient leurs voix !
      Au bruit de la doxologie,
   Vinrent les silencieux[2]
      Qui rendirent gloire au Fils[3].

Refrain : Béni soit le Nouveau-né par qui Ève et Adam
                     [ont retrouvé jouvence[4].

2. Les bergers vinrent
      Aussi apporter bonnes
   Choses du troupeau :
      Doux lait,

---

1. Cf. Lc 2,13.
2. *šattiqè* : en se fondant sur d'autres occurrences (*HdF.* XIII, 10 ; XLVI, 5 ; LXXXVII, 18) Beck suggère qu'il s'agit des animaux de la crèche.
3. La strophe accumule assonances et allitérations: *rabbā* (grand), *rawbâ* (vacarme), *ra'mâ* (tonnerre).
4. Cf. *Nat.* III, 1.

Viande fraîche,
    Hommage bel et beau ;
De leurs dons firent partage :
    À Joseph la viande,
À Marie le lait,
    Au Fils l'hommage.

3. En offrande ils lui apportèrent
        Un agneau de lait,
    À lui, l'Agneau pascal ;
        Un premier-né[1] au Premier-né[2],
    Une victime à la victime,
        Un agneau éphémère
    À l'Agneau véritable.
        Beau spectacle !
    Qu'un agneau à l'Agneau
        Soit offert !...

4. L'agneau se mit à bêler
        Quand il fut présenté
    Devant le Premier-né ;
        Il dit à l'Agneau merci
    D'être venu libérer
        Brebis et taureaux
    Des sacrifices[3],
        Merci à l'Agneau pascal
    D'être venu, d'avoir transmis
        Le mystère du Fils[4].

---

1. Cf. Gn 4, 4 ; Ex 12, 5.
2. Cf. Lc 2, 7 ; Col 2, 15 et 18.
3. Cf. *Nat.* XVIII, 18, 19.
4. L'état du texte n'est pas sûr ; le verbe *yabel* suggère, semble-t-il, la « tradition » du mystère eucharistique ; BECK traduit : « L'agneau pascal devenu le symbole ininterrompu du Fils ».

5. Les bergers s'approchèrent
     Pour l'adorer
Avec leurs houlettes,
     Le saluèrent[1]
Avec des paroles de prophètes :
     « Salut, Seigneur
Des bergers ![2] »
     La houlette de Moïse
À ta houlette dit merci,
     Berger de l'univers.

6. Car c'est Toi
     Que Moïse remercie ;
Ses agneaux devinrent loups,
     Ses brebis
Dragons
     Et, bêtes sauvages
Ses moutons ;
     Dans le désert effrayant
Son troupeau fut pris de rage
     Et contre lui se révolta[3].

7. Qu'ils remercient,
     Les bergers,
Car c'est toi qui fais la paix
     Entre loups et agneaux
Dans le pâturage ;
     C'est toi le Nouveau-né
Plus ancien que Noé
     Et plus jeune que Noé

---

1. Cf. 1 P 5, 4 ; He 13, 20.
2. Cf. Ex 4, 2 ; 17, 5.
3. Cf. Ex 16, 2, 3 ; 17, 3 ; Nb 12, 13 ; 14, 1-4 ; Dt 1, 26-28.

Qui fais la paix dans l'univers
Comme dans l'arche[1].

8. David ton père,
    Pour un agneau
Avait tué le lion[2] :
    Toi, ô Fils de David,
Tu as tué
    Le loup caché
Qui avait tué Adam,
    L'agneau innocent,
Paissant, bêlant
    En Paradis.

9. Au bruit de la doxologie
    Les époux s'éveillèrent
Et embrassèrent la continence ;
    Les vierges
Se tinrent pures,
    Et les fillettes aussi
De candeur rayonnèrent[3] ;
    Troupe par troupe,
Elles vinrent en sa présence
    Adorer le Fils.

10. Vinrent les vieilles femmes
    De la cité de David

---

1. La strophe conjugue deux images bibliques de l'harmonie et de la réconciliation cosmiques : l'arche de Noé (cf. Gn 6, 13-16) et, dans le « Livre de l'Emmanuel » d'Isaïe, l'oracle sur la paix universelle signalant l'ère messianique (cf. Is 11, 6-9).
2. Cf. 1 S 17, 34-35.
3. La chasteté des trois âges de la vie féminine est exprimée par trois racines dont chacune comporte une nuance propre : *qdš* (sainteté, continence), *nkp* (pudeur), *zhy* (clarté).

Chez la fille de David
 Et prononcèrent cette bénédiction :
« Heureuse notre terre natale
 Dont les places sont illuminées
Par le Rayon[1] d'Isaïe !
 Aujourd'hui il tient bon,
Le trône de David,
 Pour toi, Fils de David[2]. »

11. Les vieillards de s'écrier :
 « Béni soit le Nouveau-né
Qui a rajeuni Adam,
 Lui qui était tout triste en se voyant
Vieilli et usé,
 Tandis que le serpent, son meurtrier,
Faisait peau neuve !
 Béni soit le Nouveau-né
Par qui Ève et Adam
 Jouvence ont retrouvé[3] ! »

12. Les (mères) chastes dirent :
 « Fruit béni[4],
Bénis nos fruits ;
 Qu'ils te soient offerts
Comme prémices ! »
 Toutes embrasées, elles prophétisèrent
Sur leurs petits :

---

1. ṣemḥā : à la fois « rayon » (cf. He 1, 3) et « surgeon » (l'oracle messiani-que de Jr 23, 5). Cf. *Nat.* XVIII, 1.
2. Cf. 2 S 7, 13-16 ; Ps 89, 30 et 37.
3. Dans la tradition grecque comme dans la tradition de langue syriaque, les premiers écrivains chrétiens se représentent volontiers Adam et Ève comme des enfants : cf. THÉOPHILE D'ANTIOCHE, *À Autolycos* 2, 25 ; IRÉNÉE, *Adv. Haer.* III, 22, 4 ; IV, 38, 1 ; MURRAY, Symbols, p. 304-306.
4. Cf. Lc 1, 42.

« Quand ils seront occis,
Que pour toi, comme prémices,
Ils soient cueillis[1] ! »

13. Les stériles en s'inclinant
    Le prirent
Et dirent tendrement :
    « Fruit béni,
Conçu sans commerce charnel,
    Bénis nos seins
Du commerce charnel écartés ;
    Aie pitié de notre stérilité,
Enfant miraculeux
    De la virginité ! »

1. Cf. Mt 2, 16-18.

HYMNE VIII

Après une litanie de bénédictions et de macarismes adressés au Christ (str. 1-6), la pastorale à santons réapparaît. Les corporations paysannes et artisanales viennent réciter tour à tour leur couplet à l'Enfant et à Joseph : laboureurs (str.7), vignerons (str.8-9), charpentiers (str. 10-12). Le défilé est interrompu par un intermède marial (str. 13-17) : entre la berceuse de Sara et celle de Marie qui forment inclusion (str. 13 et 17), des parallèles féminins de la Vierge sont évoqués : alors que Rachel (str. 14), Anne, Sara, Rébecca et Élisabeth (str. 15) ont toutes demandé d'obtenir un enfant, Marie, elle, l'*épouse du Saint* (str. 18), n'a rien demandé pour recevoir le Fils du Très-Haut comme un *Don* (str. 14 et 16).

Puis la procession reprend, avec les différentes catégories familiales cette fois : couples (str. 18), enfants (str. 19), grandes dames (str. 20), petites filles rêvant aux épousailles avec le Messie (str. 21-22). L'hymne laisse ainsi discrètement apercevoir la contexture humaine et sociale de l'assemblée liturgique pour laquelle Éphrem actualise la scène de la crèche.

HYMNE VIII

1. Béni le Messager qui vint apporter
      Grande paix. La miséricorde de son Père,
Il l'inclina jusqu'à nous. Nos péchés à nous,
      Il ne les fit pas remonter jusqu'à lui. Il réconcilia
Avec ses sujets Sa Seigneurie.

Refrain : Gloire à Toi, Épiphanie divine et humaine !

2. Glorieux le Sage qui, dans sa miséricorde, a mélangé
      La Divinité avec l'humanité,
L'une venant de la Hauteur, l'autre de la Profondeur ;
      Des natures Il a fait alliage comme avec des couleurs,
Il en est résulté une image[1] : le Dieu-homme.

3. Ô Toi, plein de zèle, qui as vu Adam
      Redevenir poussière et le serpent honni
En train de la manger ! Le Pur[2] vint habiter
      Le fade et le changer en sel,
Avec lequel serait aveuglé le serpent maudit.

---

1. Le terme *ṣalmâ* employé ici appartient au registre de l'art pictural, mais c'est aussi le même terme que la Bible hébraïque emploie pour dire que Dieu a créé l'homme « à son image » (cf. Gn 1, 27).
2. *Ḥatʰîtʰâ* : terme difficile à traduire, qui connote à la fois les idées de pureté, de vérité, d'exactitude ; *Gesckmackvoll*, « plein de saveur »(BECK), *Reality* (MCVEY).

4. Béni le Miséricordieux qui vit la lance
À l'entrée du Paradis, barrant la route
De l'arbre de vie ! Il est venu, Il a pris
Un corps qui serait blessé, afin que par l'ouverture
[de son côté,
Il ouvrît une route dans le Paradis[1].

5. Glorieux le Miséricordieux qui de sévérité
Ne fit pas usage, et qui, sans violence,
Avec sagesse a triomphé, donnant un exemple
Aux hommes pour que, par la vertu
Et la sagesse, ils triomphent avec sagacité.

6. Bienheureux ton troupeau : tu es sa porte[2],
Tu es son bâton, tu es son pasteur,
Tu es son breuvage, tu es son pilote[3],
Son médecin aussi, ô Unique
Qui fructifies et surabondes en secours de toutes sortes.

7. Vinrent les laboureurs : ils se prosternèrent devant Lui,
Le Laboureur de la vie, ils lui firent cette prophétie,
Tout joyeux : « Béni le Laboureur
Par qui est cultivée la terre de nos cœurs !
Il amasse son blé au grenier de la vie[4]. »

---

1. Le Paradis, dont l'accès était interdit par le glaive fulgurant du Chéru-bin (cf. Gn 3, 24), nous est à nouveau ouvert par la lance du soldat blessant le côté de Jésus (cf. Jn 19, 34). La lecture conjointe de ces deux textes est constante chez Éphrem et dans la liturgie syriaque : cf. MURRAY, *Symbols...*, p. 125-127 ; F. GRAFFIN, *La Soghita du Chérubin et du Larron*, OS XII, 4, 1967, p. 481-489.
2. Cf. Jn 10, 7 ; Ps 23, 4 ; Jn 10, 11.
3. A la place de *mallâhâ*, « pilote », un autre manuscrit permettrait de lire *mélhâ*, « sel » : cf. str. 3.
4. Cf. Mt 13, 30.

8. Vinrent les vignerons : ils rendirent gloire
      Au Rejeton qui avait bourgeonné de la racine
Et du tronc de Jessé[1], à la Grappe vierge
      Sur la vigne desséchée[2]. Soyons des amphores
Pour ton vin nouveau qui donne à tout nouveauté !

9. Que par toi soit pacifiée la vigne de mon Bien-aimé
      Qui donna du verjus[3]. Greffe ses pampres
Sur tes plantations ; que de grappes elle soit toute chargée
      Par tes bénédictions : que son fruit réconcilie
Le Maître de la vigne qui l'avait menacée[4].

10. Vinrent les charpentiers à cause de Joseph,
      Chez le fils de Joseph[5]. « Béni soit ton enfant,
Le chef des charpentiers qui de l'Arche aussi
      Dessine le plan ; par lui fut construit
Le tabernacle provisoire qui n'était que pour un
                             [temps[6].

11. Rends grâce au nom de notre corporation
      Et sois notre fierté, fabrique un joug
Léger et doux[7] pour ceux qui le portent.
      Fabrique une mesure en laquelle ne se puisse trouver
Nulle fraude, parce qu'elle est pleine de vérité.

---

1. Cf. Is 11, 1.
2. L'image de la « vigne assoiffée », comme celle de la « terre assoiffée », (cf. *Nat.* XI, 4 ; XVIII, 13) désigne Marie et indique que son sein n'a pas été fécondé (irrigué) par un homme.
3. Cf. Is 5, 1-2.
4. Cf. Is 5, 5.
5. Cf. Mt 13, 55
6. Cf. Gn 6, 14-16 ; Ex 25, 10-22 ; 37, 1-9.
7. Cf. Mt 11, 28-30.

12. Construis et fabrique aussi une balance
      Toute de justice, pour que ce qui est trop léger
Soit par elle réprouvé, et que ce qui est parfait
      Par elle soit honoré. Pèse avec elle, ô Juste,
La miséricorde et les fautes comme un bon Juge. »

13. Quand Sara pour Isaac chantait à douce voix,
      Comme pour le serviteur portant l'icône
Du Roi son Seigneur, sur ses épaules
      (Reposait) le signe de sa croix[1], et sur ses mains
Les chaînes de douleur, symboles des clous.

14. Rachel à grands cris dit à son époux :
      « Donne-moi des enfants[2] » . Bienheureuse Marie !
Sans qu'elle l'ait demandé, tu as habité en son giron
      Chastement, ô Don
Qui toi-même te répands en ceux qui te reçoivent.

15. Anne avec des larmes amères
      Demanda un enfant ; Sara et Rébecca
Avec vœux et serments ; Élisabeth aussi,
      Avec sa prière[3], après un long délai
De tourments, fut enfin consolée.

16. Bienheureuse Marie qui, sans vœu
      Ni prière, en sa virginité,
A conçu et enfanté le Seigneur
      De tous les fils de ses compagnes qui furent et qui
                        [seront,
Purs et justes, prêtres et rois.

---

1. La « ligature d'Isaac » (cf. Gn 22, 6-9) est une figure de la crucifixion de Jésus.
2. Gn 30, 1.
3. 1 S 1, 12 (Anne) ; Gn 16, 1 (Sara) ; Gn 25, 21 (Rébecca), Lc 1, 7 (Élisabeth).

17. Quelle mère bercerait son fils dans son sein
        Comme Marie ? Quelle mère oserait
    Appeler son enfant « Fils de l'Auteur (du monde),
        Fils du Créateur ? ». Quelle mère a jamais
    Appelé son fils « Fils du Très-Haut ? ».

18. Jubilèrent les époux ainsi que les épouses :
        « Béni soit le Tout-Petit dont la mère
    Fut l'épouse du Saint-(Esprit) ! Béni soit le repas de noces
        Auquel tu pris part, bien que le vin
    Soudain manquât[1] ! Grâce à toi, de nouveau, à flots
                                              [il coulera ! »

19. S'écrièrent les enfants : « Béni soit Celui qui pour nous
                                              [est devenu
        Un frère, un compagnon dans les rues !
    Béni ce jour où avec des rameaux
        Nous rendions gloire à l'Arbre de vie
    Qui de sa hauteur se pencha jusqu'à nous, tout
                                              [petits[2] ! »

20. Les femmes entendirent : « Voici qu'une vierge
        Concevra et enfantera[3] ». Et nobles femmes de
                                              [s'attendre
    À ce que d'elles il sortît ; belles matrones aussi,
        À ce que d'elles il brillât. Béni soit ta Majesté
    Qui s'abaissa jusqu'à paraître chez les pauvres !

21. Même les jeunes filles prophétisèrent
        Que pour époux elles le prendraient : « À toi
                                              [Seigneur je serai.

1. Jn 2, 3.
2. Cf. Mt 21, 8 et 15.
3. Is 7, 14.

Si je suis repoussante, pour toi je serai belle ;
  Si je suis du commun, pour toi je serai noble.
La chambre nuptiale éphémère, contre toi je
                                   [l'échangerai. »

22. La jeunesse étant audacieuse
  Et bavarde aussi, les jeunes filles rassemblèrent
Les filles des Hébreux, les habiles
  Et les pleureuses[1] : par leurs chansons
Les lamentations se changèrent en prophéties.

---

1. Cf. Jr 9, 17 ; *Nat.* XIII, 1.

HYMNE IX

Nette rupture dans la *concatenatio* des pièces, puisqu'il s'agit cette fois bel et bien d'une « berceuse ».
Pleine de crainte et d'amour, Marie s'essaie à invoquer son
Enfant (str. 1-2; cf. VI, 1-2) qui, dès le berceau, a reçu
des Patriarches sacerdoce, royauté et généalogie
(str. 3); parmi les Prophètes qui, eux aussi, ont enrichi
sa dot (str. 4), David son *père* lui a fait le présent symbolique du Psaume 110 (str. 5-6). C'était après lui, le
Christ, que *couraient* trois femmes de l'Ancien Testament dont la conduite apparaît à première vue im-
morale ou à tout le moins audacieuse : Rahab (str. 7),
Tamar (str. 8-13) et Ruth (str. 14-16).

Outre qu'elle témoigne d'une lecture messianique du
Psaume 110 et peut-être aussi de son utilisation liturgique dans le cycle de Noël, cette hymne dénote une
mystique des nombres et un réalisme typologique qui
ne manque pas de hardiesse. Au reste, le verbe *rhéṭ,*
« courir », employé à la strophe 7 à propos des trois femmes, fait partie du vocabulaire typologique d'Éphrem : il
signifie volontiers dans son œuvre le mouvement qui
emporte les figures vers leur accomplissement.

A cause de Toi, ne cesse de répéter Éphrem dans cette séquence, suggérant par là un principe constant de son exégèse : l'aporie à laquelle nous confrontent certains épisodes de l'Écriture, moralement discutables, trouve sa solution dans les profondeurs du symbole.

La pièce se clôt *ex abrupto* sur l'évocation de Ruth la glaneuse, si bien que l'on ne peut se retenir de penser qu'elle a été artificiellement interrompue en cet endroit.

HYMNE IX

1. Quelle mère oserait dire à son fils
    En guise de prière : « Espérance de ta mère ! »
En tant que Dieu ; « Mon bien-aimé, mon enfant ! »
    En tant qu'homme ? C'est dans la crainte et dans
                    [l'amour
Qu'il sied à ta mère de se tenir devant toi.

Refrain : Gloire à toi au jour de ton épiphanie, de la part
                    [de ton troupeau !

2. Tu es le Fils du Créateur, semblable à ton Père.
    En tant qu'Auteur, il s'est formé dans le sein pour
                    [soi-même
Un corps pur, il s'en est revêtu, puis est sorti.
    Il a revêtu de gloire notre faiblesse,
Par la miséricorde qu'il apporta de chez son Père.

3. De Melchisédech, le grand prêtre,
    T'est venue l'hysope ; le trône et le diadème
De la maison de David ; l'ascendance et la race
    D'Abraham. Qui parlerait
À son fils comme te parle ta mère ?

4. Grâce à toi je suis devenue port,
　　　Ô vaste océan ! Voici que les psaumes
　　De ton père David et les dires
　　　Des prophètes aussi, comme des navires,
　　Ont déchargé en moi tes immenses richesses.

5. David ton père, du psaume
　　　Cent-dix a dressé pour toi et t'a offert,
　　Telle une couronne, les deux chiffres.
　　　Ô Vainqueur, par eux sois couronné
　　Et monte t'asseoir à la Droite[1].

6. Une grande couronne avec le chiffre cent
　　　Est tressée pour qu'en soit couronnée
　　Ta divinité; une couronne plus petite,
　　　Faite du chiffre dix, ceint la tête
　　De ton humanité, ô Triomphateur !

7. À cause de toi des femmes coururent
　　　Après des hommes. Tamar s'éprit
　　D'un veuf[2] et Ruth aima
　　　Un vieillard[3], Rahab, elle aussi,
　　La preneuse d'hommes, par toi fut capturée[4].

8. Tamar sortit et dans l'obscurité
　　　Déroba la lumière, dans l'impureté
　　Déroba la chasteté[5], dans l'impudicité
　　　Entra furtivement chez toi, ô Respectable
　　Qui fais des êtres chastes avec des licencieux.

---

1. Cf. Ps 110, 1 d'après la numérotation des Psaumes dans la *Peshiṭta*, identique à la numérotation hébraïque.
2. Cf. Gn 38, 6-30.
3. Cf. Rt 3, 10.
4. Cf. Jos 2, 8-21.
5. Littéralement : « La sainteté » *(qūdšâ).*

9. Satan le vit et, apeuré, accourut
>   Comme pour l'empêcher : (à Tamar) il rappela la
>   [peine de mort,
> Mais elle ne craignait ni la lapidation, ni l'épée[1] ;
>   Elle n'avait pas peur. Le maître de l'adultère
> Voulait contrecarrer l'adultère pour te contrecarrer.

10. C'était chose sainte en effet que l'adultère de Tamar,
>   À čause de toi. C'est de toi qu'elle était assoiffée,
> Fontaine[2] pure : Juda l'empêcha
>   De te boire. La source altérée
> À sa fontaine a dérobé ton breuvage.

11. Elle devint veuve à cause de toi.
>   Elle t'a désiré, elle a couru, elle est même devenue
> Prostituée à cause de toi.
>   Vers toi elle soupira, elle se tint aux aguets (sur le
>   [chemin)
> Et elle devint chaste[3] : c'est toi qu'elle aimait.

12. Que Ruth reçoive la bonne nouvelle, elle qui rechercha
>   [ta richesse !
>   Moab entra chez elle. Que Tamar se réjouisse
> De ce que son Seigneur soit venu, elle dont le nom met
>   [en mémoire

---

1. Décapitation et lapidation étaient, d'après la loi, le châtiment de l'adultère. Cf. Lv 20, 10 et Dt 22, 22 ; en Gn 38, 24 toutefois, Juda menace de brûler Tamar.

2. Il est fort probable qu'Éphrem joue, dans toute cette strophe, sur le symbolisme impliqué par le nom du lieu-dit où Tamar s'assit pour y attendre Juda : *'Enayim*, c'est-à-dire « Les-Deux-Sources ».

3. Ou : « (prostituée) sacrée », selon l'interprétation de Beck (cf. Gn 38, 21-22).

Le fils de Marie[1], et dont le vocable même
Était à ton adresse un cri pour que tu vîns à elle !

13. Par toi des femmes honnêtes devinrent impudiques,
    Ô toi qui toutes les purifies ! C'est toi que Tamar
                                            [déroba
    À la croisée des routes[2], toi, traceur de route
        Vers le royaume. Parce qu'elle avait dérobé la vie,
    L'épée ne parvint pas à la tuer.

14. Ruth aux pieds d'un homme sur l'aire se jeta[3]
        À cause de toi ; son amour fut effronté
    À cause de toi qui enseignes l'effronterie
        À tous les pénitents[4]. Ses oreilles méprisèrent
    Toutes les voix à cause de ta voix.

15. La braise[5] qui (vers le feu déjà) s'insinuait, dans la couche
                                            [de Booz
        Monta et s'y reposa ; elle vit le Grand Prêtre
    Caché dans ses lombes ; le feu vers son encensoir
        Accourut et s'embrasa. La génisse[6] de Booz
    T'a mis au monde, toi le veau gras[7].

---

1. D'après une correction ; littéralement : « Fils de son maître ». Éphrem joue sur le nom de Tamar dans lequel il reconnaît l'invocation araméenne « Viens, Seigneur ! » *(Tâ Mar)* familière dans la liturgie des premiers âges chrétiens (cf. 1 Co 16, 22 ; *Didaché* 10)
2. Cf. Gn 38, 14.
3. Rt 3, 7.
4. Cf. Lc 7, 37-38.
5. C'est-à-dire ici, d'après une métaphore biblique (cf. 2 S 14, 7), le descendant qui maintient vivant le feu de la race.
6. Métaphore pour « l'épouse » (cf. Jg 14, 18), appelée tout naturellement par le « veau gras ».
7. Pour de nombreux Pères de l'Église, le veau gras de la parabole de l'enfant prodigue était une figure du Christ. Cf. Lc 15, 23.

16. La glaneuse glana[1] par amour pour toi.
Elle recueillit la paille ; sur le champ tu lui rendis
Le salaire de son humilité : au lieu d'épis,
Un rejeton de rois et, au lieu de paille,
La gerbe de vie qui d'elle est sortie.

1. Cf. Rt 2, 2.

HYMNE X

Les berceuses qui accueillent la naissance du Seigneur surclassent aisément celles qui entouraient le berceau des douze enfants du patriarche Jacob (str. 1). Malgré pareil exorde, l'hymne ne sera pas une berceuse, mais plutôt une « démonstration » de la conception virginale de Jésus. Car ce n'est plus Marie qui parle ici, mais Éphrem lui-même et nous entamons vraisemblablement avec cette hymne un nouvel ensemble littéraire qui comprend aussi les deux hymnes suivantes. L'argumentation se résume ainsi :

1) Les précautions inutiles prises par les Juifs lors de la sépulture de Jésus n'ont fait que rendre plus éclatante et certaine la sortie du tombeau (str. 2-5), lequel ne manquait pas de figures (str. 4), tant dans l'Ancien Testament (Daniel) que dans le Nouveau (Lazare).

2) La sortie du shéol et du tombeau scellé accrédite, *a posteriori*, la sortie du sein virginal, *scellé* lui aussi (str. 6-10). Conception et Résurrection personnifiées sous les traits d'*athlètes* (str. 10) imposent victorieuse-

ment silence au Peuple *incrédule* (str. 2), *sourd* (str. 8) et *calomniateur* (str. 9).

3) L'enlèvement d'Élie au ciel, qui s'est heurté lui aussi au scepticisme, apporte un dernier argument *a fortiori*, comme Éphrem, à cet égard héritier de la tradition rabbinique, les affectionne (str. 11-12).

L'hymne entière, dirigée contre la prétention (str. 1) et l'incrédulité (str. 2-12) du Peuple juif, revêt un caractère évidemment polémique. Ce qui nous y séduit davantage aujourd'hui, c'est à la fois, du point de vue de l'inspiration poétique, le beau parallèle *sein/tombeau*, et, du point de vue liturgique, la prédominance du thème de la résurrection : le dernier mot, *Il est ressuscité*, signe cette séquence comme une séquence pascale, en plein cycle noëlique.

HYMNE X

1. Léa et Rachel, Zilpha et Bilha
    Chantaient à ceux qu'elles avaient désirés,
À ces douze qu'elles avaient enfantés[1]; c'était chose
                                    [bien humaine
    Que leurs berceuses, mais elles sont seigneuriales,
    Toutes tes berceuses, ô Seigneur de tes frères !

2. Afin que la résurrection fût croyable
    Chez les impies, dans un tombeau
Ils te mirent sous scellés. Ils scellèrent la pierre
    Et des gardiens y furent postés[2]; ce fut à ton avantage
    Qu'on scella ton tombeau, ô Fils du Vivant !

3. Après t'avoir enseveli, si, sans plus se donner de peine,
    Ils t'avaient abandonné puis étaient partis, il y
                                    [aurait eu lieu
D'affirmer faussement que l'on t'avait bel et bien volé[3],
    Ô toi qui à tout donnes vie ! En usant d'astuce
    Pour sceller ton tombeau, ils ont grandi ta gloire.

1. Les douze enfants de Jacob mis au monde par ses deux épouses Léa et Rachel et par leurs servantes respectives Zilpha et Bilha (Gn 29, 24 ; 30, 10).
2. Cf. Mt 27, 66.
3. Cf. Mt 28, 11-15 ; Jn 20, 13.

4. Types furent pour toi Daniel
    Et Lazare aussi, l'un dans la fosse
Que « les Peuples »[1] scellèrent et l'autre dans le tombeau[2]
Que « le Peuple » ouvrit. Voici que leurs desseins
Et leurs sceaux sont devenus leurs accusateurs.

5. Leur bouche serait restée ouverte s'ils avaient laissé
                                    [ouvert
        Ton tombeau et s'en étaient allés. Parce qu'ils ont
                                    [fermé ton tombeau,
    Qu'ils l'ont scellé et cacheté, c'est leur propre bouche
                                    [qu'ils ont fermée ;
        Sans y prendre garde, tous les calomniateurs,
    En recouvrant ton tombeau, ont recouvert leurs propres
                                    [têtes[3].

6. Par ta résurrection tu les as convaincus
        Au sujet de ta conception, car la fosse fut fermée
    Et le tombeau scellé ; le Pur (était) dans la fosse,
        Le Vivant dans le tombeau : fosse et tombeau scellés
    Pour toi ont témoigné.

7. Le sein et le shéol[4] ont crié d'allégresse
        Au sujet de ta résurrection ; le sein te conçut
    Alors qu'il était scellé ; le shéol t'enfanta
        Alors qu'il était cacheté ; c'est contre nature
    Que le sein t'a conçu et le shéol rendu.

---

1. Cf. Dn 1a, 10. Les « Peuples » sont les Gentils, toujours opposés dans la terminologie d'Éphrem, au « Peuple », c'est-à-dire au Peuple juif. Aphraate fait lui aussi un long parallèle entre Daniel et Jésus : *Dém.* XXI, 18 (*SC* 359), p. 831-833.
2. Cf. Jn 11, 39 et 41.
3. En signe de honte (Beck).
4. C'est-à-dire le tombeau.

8. Scellé le tombeau, auquel on avait confié
    La garde du mort; vierge le sein
Que nul n'avait connu. Le sein vierge
    Et le tombeau scellé, comme des trompettes,
Aux oreilles du Peuple sourd ont crié.

9. Le sein (était) scellé, la pierre cachetée
    Chez les calomniateurs; ils ont calomnié la
                    [conception :
« Semence d'homme » que cela; et aussi la résurrection :
    « Larcin d'homme » que cela. Le sceau et le cachet
Les ont condamnés et convaincus que tu es du ciel.

10. Le Peuple se tenait entre ta conception
    Et ta résurrection; calomniait-il ta conception?
Ta mort le réfutait; abolissait-il la résurrection?
    Ta naissance le réprouvait : les deux Athlètes[1]
Ont frappé la bouche qui calomniait.

11. Élie aussi, ils sont allés le chercher
    Dans les montagnes[2]; tandis qu'ils le cherchaient
Sur la terre, il apparut plus certain encore
    Qu'au ciel il était remonté. Leur recherche
                    [infructueuse
A témoigné qu'(au ciel) il était remonté.

12. Si donc les prophètes qui s'étaient aperçus
    De l'ascension d'Élie furent, ce semble, d'avis partagé

---

1. C'est-à-dire la conception et la résurrection.
2. Allusion à l'enlèvement d'Élie : cf. 2 R 2, 16-18.

Au sujet de sa montée, combien davantage
    Les impurs ont-ils dû calomnier le Fils ! Par leurs
                                        [propres gardes
Il les a condamnés (et convaincus) qu'il est ressuscité.

HYMNE XI

Merveille que ta mère ! (str. 6). Ainsi pourrait s'intituler cette séquence, toute d'émerveillement devant les privilèges de Marie (str. 1-4) et l'œuvre qui s'est accomplie en elle (str. 6-8). Nul ne sait comment l'appeler (str. 1) à raison de la multitude des liens qui l'unissent à son Fils : à la fois Mère, Sœur, Épouse (str. 1-2). Le problème de la nomination du Fils (cf. VI, 1-2 ; IX, 1) rebondit ici à propos de la Mère.

Dans les trois dernières strophes (6-8), où l'intérêt se concentre sur la kénose du Fils traduite par la double métaphore de la sortie et du dépouillement, le sein de Marie est célébré comme le théâtre d'un bouleversement fondamental de l'*ordre des choses* (*téksé*, str. 7) ; les attributs divins (certains de ceux qu'énumère Éphrem renvoient à des théophanies de l'Ancien Testament) semblent en effet s'y évanouir.

Cette brève pièce met en relief deux éléments importants de la mariologie éphrémienne : la maternité divine établit Marie dans un réseau de relations singulièrement riche, cependant qu'en elle tout est l'ouvrage de la grâce : le Fils est *la beauté de sa propre Mère* (str. 2).

HYMNE XI

1. Ta mère, Seigneur, personne ne sait
        Comment l'appeler. L'appelle-t-on « Vierge » ?
En fait elle a un fils. « Mariée » ?
        Nul homme ne l'a connue ! Et si ta Mère
Ne peut être comprise, toi, qui pourra te comprendre ?

Refrain : Gloire à toi ! Tout est aisé pour toi, Seigneur
                                   [universel !

2. Car elle est ta Mère, elle seule ;
        Et ta sœur avec tous[1]. Elle te fut Mère,
Elle te fut sœur. Elle est aussi ton épouse,
        Avec les vierges pures[2]. En tout
Tu l'as ornée, toi qui de ta Mère es la beauté.

3. Car épouse elle fut selon la nature
        Avant ta venue. Mais elle conçut
Contrairement à la nature[3], après ta venue ;

---

1. Cf. *Nat.* XVI, 1.
2. Cf. *Nat.* IV, 132 ; *Virg.* XXV, 16.
3. « nature » *(kyânâ)* n'a pas exactement le même sens dans les deux hémistiches ; dans le premier, le mot a une acception plutôt juridique : « selon la loi naturelle » ou « selon la coutume » ; dans le second il a une acception biologique.

Ô Saint, Vierge encore elle fut
Quand elle t'a mise au monde saintement[1].

4. Par toi Marie a possédé tous les attributs
        Des femmes mariées : un être en elle conçu,
Mais sans union charnelle; le lait dans ses seins,
        Mais d'une manière inhabituelle. D'une terre
                                        [assoiffée
Tu as fait soudain une source de lait.

5. Si elle t'a portée, c'est que ta haute montagne
        Allégea son poids. Si elle t'a nourri,
C'est que tu avais faim. Si elle t'a donné à boire,
        C'est que tu voulais avoir soif. Si elle t'a embrassé,
C'est que, Braise miséricordieuse[2], tu protégeais son sein.

6. Merveille que ta mère ! Il est entré en elle Seigneur,
        Et il est devenu Serviteur ; il est entré Parole :
En elle il est devenu Silence ; il est entré en elle Tonnerre[3],
        Et il a retenu sa voix ; il est entré Berger universel :
Agneau il devint en elle et sortit en bêlant.

7. Le sein de ta Mère a renversé l'ordre établi :
        L'Ordonnateur de l'univers y entra riche,
Il en sortit pauvre. Il y entra exalté,
        Il en sortit humilié. Il y entra resplendissant,
Il en sortit avec un habit aux misérables couleurs.

---

1. « Saintement/chastement ». Il s'agit très probablement ici de la *virginitas in partu.*
2. L'image vient de Is 6, 6-7 ; elle désigne habituellement chez Éphrem la divinité du Christ et l'Eucharistie : cf. *Az.* XVI, 27 ; P. YOUSIF, *L'Eucharistie...*, p. 92-95.
3. Cf. Ex 19, 16-20

8. Il est entré vaillant Guerrier[1] et il a revêtu la crainte
   À l'intérieur du sein ; il est entré, Celui qui donne à
                                              [tout nourriture
   Et il a assumé la faim ; il est entré, Celui qui donne à tout
                                              [breuvage
      Et il a assumé la soif ; nu et dépouillé
   Il est sorti d'elle, Celui qui donne à tout vêture.

1. Cf. Ex 15, 3 ; So 3, 17.

HYMNE XII

La séquence entière, toujours sur les lèvres de l'hymnographe, exploite le thème du sceau virginal et met à
contribution toute une typologie des *Hékhaloth* (Demeures) qui ne laisse pas de faire songer à la mystique
juive : *palais royal* avec ses tentures (str. 2), *arche* (str. 3),
salle du Trésor (str. 8), *mur* str. 10).

Mais la séquence, renouant avec le mode polémique
de l'*Hymne* X, laisse aussi deviner des controverses contemporaines entre le judaïsme rabbinique et la
communauté d'Éphrem sur deux points d'ailleurs
connexes : la conception virginale de Jésus (str. 4) et
l'état de virginité voué par certaines femmes chrétiennes (str. 5-10). Remarquable est dès lors la relation
qu'Éphrem établit ici entre la donnée de foi christologique et la pratique ascétique qui s'en autorise; la
virginité consacrée qui possède en Marie son exem-
plaire, comporte une dimension sponsale (les *femmes
chastes* sont les *épouses* du Christ) et réalise un mode
particulier d'inhabitation divine (str. 6 et 9). On perçoit
dans ce plaidoyer, outre l'émotion d'Éphrem (str. 5),
son attention habituelle à l'égard de la femme et de sa

mission propre dans la communauté ecclésiale : assu-
rer, pour ainsi dire, l'actualité et la permanence du
mystère marial.

On verrait assez bien que la strophe 12, d'allure doxologique, soit la conclusion de tout l'ensemble X-XII.

HYMNE XII

1. Qui a jamais vu nourrisson plus âgé
    Que sa mère ? Il entra Ancien,
Jeune en elle il devint. Il sortit nouveau-né,
    Et par son lait grandit. Il entra et en elle devint petit.
Il sortit et fit, grâce à elle, sa croissance : Merveille immense !

Refrain : Gloire en ton jour à ton Épiphanie cachée, au Père
                               [aussi qui t'a envoyé.

2. Un enfant dans le sein ! Et, (pourtant) subsistait le sceau
    De la virginité ! Le sein fut pour toi
Un palais[1] royal, avec comme tentures
    Les signes de la virginité par devant. Les signes à
                                  [l'extérieur,
L'enfant à l'intérieur : grand paradoxe !

3. Arche[2] vide
    Et pourtant scellée ! Et quoiqu'elle fût cachetée
De l'intérieur sortit le grand cachet[3]
    Du Roi des rois. Le témoin crie
Que cette faveur n'est pas naturelle.

1. Parvis *(Hekal)*, rideau : cf. Ex 27, 9-19 ; 36, 35-38 ; 1 R 6, 17 et 33.
2. L'arche d'alliance (Ex 25, 10-22), figure du sein de Marie.
3. Dans la strophe précédente ḥatmâ (sceau) désignait la cire ou le métal portant l'empreinte ; tabʻâ (cachet) désigne ici l'instrument qui sert à apposer le sceau ; c'est l'équivalent de la σφραγίς des Pères grecs.

4. Au genre féminin les signes de la virginité
            À cause de toi, pour que de ta conception
      Soit avérée la sainteté. À l'intérieur des sceaux,
            Ô toi le Pur, tu as habité. Le sceau confond
      Quiconque oserait prétendre que ta Mère a fait un larcin[1].

5. À l'intérieur du sceau tu habites maintenant aussi,
            Dans les vierges pures ; et si un homme accuse
      Tes épouses mariées, le sceau silencieux
            Contre lui frémit de rage, la tenture
      Fermée crie : « Notre Roi est ici ! ».

6. Le sceau témoigne pour tes épouses mariées
            Et pour ta mère. À l'intérieur du sceau
      Tu as habité en ta mère ; et dans les vierges pures
            (Tu habites) à l'intérieur du cachet. Que ton sceau
                                                            [justifie
      Tes épouses, comme il (a justifié) ta mère.

7. Parce que la chasteté est trop sublime pour qu'on y croie
            Parmi les impurs, le sceau et le cachet
      Du Roi des rois convainquent que la perle[2]
            A été préservée. Tes servantes
      Ont acquis de bons défenseurs parmi les calomniateurs.

8. Si avec le sceau cette Maison du Trésor[3]
            N'a pas obtenu foi, sans ce sceau,
      Qui pourrait croire
            Qu'Il ne fut pas violé ? Dieu a convaincu
      Les hommes en faveur de ses saints.

---

1. C'est-à-dire a volé (la semence) à un homme.
2. La perle, image de la virginité : cf. *Virg.* II, 4.
3. C'est-à-dire Marie.

9. Tu as demeuré en Marie, et les impies ont prétendu
                                                    [calomnieusement
        Qu'elle n'était pas enceinte de toi. Tu habites
                                                    [maintenant
        Dans les vierges pures, et voilà qu'on les calomnie
            Comme si elles étaient enceintes. On calomnie
        Celle qui était enceinte et celles qui ne le sont pas.
                                                    [Grand désastre !

10. Ton mur protège les épouses
            Comme il protège ta Mère, et si un voleur
        S'en vient voler, par toi il sera détruit,
            Anéanti ; et si un calomniateur
        S'en vient calomnier, au silence par toi il sera réduit.

11. Gloire à toi qui purifie ton troupeau
            Comme ta Mère ; tes épouses
        Comme Celle qui t'a enfanté ; tes servantes
            Comme Celle qui t'a allaité ; de leur part comme de
                                                    [sa part,
        Et de notre part à tous, gloire à ton Nom !

HYMNE XIII

Le changement de sujet parlant (un chœur et non plus un soliste), de même que la thématique générale, suggèrent l'appartenance de cette hymne et de la suivante à une nouvelle unité littéraire.

Les *filles des Hébreux* ont changé leurs lamentations en berceuses (str. 1). Pourquoi ne pas reconnaître à travers elles le personnel féminin mis à contribution par Éphrem pour l'exécution de ses pièces, et qui disposaient peut-être de recueils, de répertoires de textes bibliques adaptés aux circonstances ? Toujours est-il que ces *berceuses* extraites de l'Ancien Testament ont toutes une signification typologique : Ève (str. 2) ; Sara et Isaac (str. 3) ; Samson (str. 4) ; Anne et Samuel (str. 5).

Suit une variation sur l'ineffabilité et l'incompréhensibilité du Dieu fait homme : qui pourrait parler de cet Enfant (str. 6) qui repose à la fois dans le sein du Père et dans celui de Marie (str. 7) ? L'entendement se perd à sonder un tel océan (str. 8) et la crèche ne réserve que surprises (str. 9).

Les strophes 10 et 11 évoquent la kénose de cet étrange héritier de David qui, malgré son misérable train de vie, contraint l'homme à s'agenouiller devant lui ; l'hymne paulinienne Ph 2, 6-11 est sans doute ici à l'arrière-plan.

Mais tout cela nous conduit au thème majeur, discrètement introduit à la strophe 5 : la célébration de l'amour inouï manifesté par l'Enfant et que les Pères de langue grecque, contemporains d'Éphrem, appellent *philanthropia* (cf. Tt 3, 4-5). À tous, l'Enfant offre son sourire (str. 12), sans établir aucune discrimination entre les visiteurs de la crèche (str. 13) ; c'est à croire que *Dieu a faim des hommes* (str. 12 et 14). Celui qui accepte les outrages de la Passion laisse loin derrière lui l'intransigeance de la Loi (str. 15) et les sévérités des Prophètes ; tant de cruauté encore dans l'Ancien Testament, jusque chez les figures les plus aimables (str. 16) ! Et la dernière strophe sur la douceur d'Isaac et la réversibilité du rapport typologique (str. 17) forme inclusion avec la strophe 3 sur la berceuse de Sara.

HYMNE XIII

1. Les Filles des Hébreux qui récitaient les lamentations
    De Jérémie, au lieu des lamentations
De leurs Écritures, ont entonné des berceuses
    Extraites de leurs livres : une puissance invisible
Vaticinait dans leurs paroles.

Refrain : De la part de toutes les créatures gloire à toi, en
             [cette fête qui est tienne !

2. Elles dirent pour commencer : Qu'elle se réjouisse
                [aujourd'hui,
    Ève, dans le shéol ! Car voici que le Fils de sa Fille,
Comme un remède de vie, descend pour ressusciter
    La mère de sa Mère ; le petit enfant béni
Piétine la tête du serpent qui l'a frappé[1].

3. Ton type observe, depuis la jeunesse
    Du gracieux Isaac. Pour toi Sarah
Fredonnait[2], en voyant tes symboles venir habiter
    Dans sa jeune enfance : « Ô fils de mes vœux
En qui est caché le Seigneur des vœux ! »

---

1. Cf. Gn 3, 15.
2. Cf. Gn 21, 6-7.

4. Samson le nazir représenta le type
De ta vaillance : il déchira le lion[1],
Image de la mort. Toi, tu l'as éventrée
Et tu as fait sortir de son amertume
Douce vie pour les humains.

5. Anne encore pour toi a caressé
Samuel, car ta justice
Était cachée en lui qui a mis en pièces Agag[2],
Comme toi le Mauvais. Il a pleuré sur Saül[3],
Car ta bonté aussi était en lui dépeinte.

6. Comme tu es humble, comme tu es puissant,
Ô petit Enfant ! Puissant, ton jugement ;
Doux, ton amour ; qui pourrait
Tenir devant toi ? Ton Père est au ciel,
Ta mère sur la terre : qui peut parler sur toi ?

7. Quelqu'un cherche-t-il ta Nature cachée ?
La voici au ciel, dans le sein immense de la
Divinité[4]. Quelqu'un cherche-t-il
Ton corps visible ? Le voici qui repose et observe
Depuis le sein minuscule de Marie.

8. L'entendement se perd entre les récits que l'on fait sur Toi,
Ô Riche ; arcane sur arcane
En ta divinité, spectacles vils

---

1. Cf. Jg 14, 5-8.
2. Cf. 1 S 15, 33.
3. Cf. 1 S 15, 35.
4. Cf. Jn 1, 18. Éphrem utilise le même terme '*ūba* pour parler du « sein » du Père et du sein de Marie ; la tradition syriaque use volontiers d'images féminines à propos de la vie intra-trinitaire : fécondité du Père et rôle « maternel » de l'Esprit. (cf. S. P. BROCK, *The Luminous Eye*, p. 143-144).

En ton humanité ! Qui Te sonderait,
Ô immense Océan qui t'es rapetissé ?

9. Nous venons te voir en tant que Dieu :
    Te voici homme ! Nous venons te voir
En tant qu'homme : l'enseigne de ta divinité
    Resplendit ! Qui peut soutenir
Ta diversité[1], ô Véridique ?

10. Nous venons voir le train de vie qui t'échut
    De la maison de David : d'une crèche te voilà nanti[2]
Au lieu de ses divans ; une grotte[3] t'est assignée
    Au lieu de ses appartements ; au lieu de sa charrerie
Un âne vulgaire[4] en partage soudain t'est advenu.

11. Qui croirait que c'est toi l'héritier
    Du trône de David ? Allons donc ! Nous te
                                        mépriserons
Et ferons fi de toi ! Le ciel alors s'écrie,
    Et la terre, ici-bas : après t'avoir méprisé
Nous nous inclinons devant toi, Puissance cachée.

12. Comme tu es hardi, ô Tout-Petit qui à tous
    Te prodigues ! A qui te rencontre,
Tu donnes ton sourire ; à qui te regarde,
    Tu te montres accueillant : c'est comme si ton amour
Avait faim des hommes !

---

1. Cf. *Nat.* I, 97 ; BECK traduit le terme *šūḥlapʰé* par « contraires »
(Gegensätze) et McVEY par « transformations ».
2. Cf. Lc 2, 7.
3. Cf. JUSTIN, *Dial.* 78 ; ORIGÈNE, *C.Cels.* 1, 51. La tradition de la grotte
était bien établie dans l'iconographie byzantine de la Nativité.
4. Cf. Mt 21, 5. Éphrem avait peut-être aussi à l'esprit la prophétie messianique de Za 9, 9-10.

13. Tu ne mets pas de différence entre tes parents
      Et les étrangers, entre ta mère
Et les servantes, entre la Nourrice[1]
      Et les femmes souillées : Est-ce là ta hardiesse[2],
Ou ta tendresse qui prend les hommes en pitié ?

14. Qu'est-ce qui te pousse à te prodiguer
      À quiconque te voit ? Aux riches,
Aux pauvres... Chez eux tu as cherché un toit
      Bien qu'ils ne t'aient pas appelé. D'où vient
Que des hommes tu sois si affamé ?

15. Quel est donc ton amour, pour qu'on t'accuse
      Sans que tu t'irrites ; pour que l'on crie contre toi
Sans que tu te troubles ; pour que l'on persifle
      Sans que tu t'en affliges ? Es-tu plus grand
Que la loi qui des dettes exige l'acquittement ?

16. Doux fut Moïse[3], violent son zèle cependant,
      Car il frappa et tua[4]. Élisée aussi
Qui avait rendu un enfant à la vie[5], fit déchirer par des
                      [ours
      Une bande d'enfants[6]. Qui es-tu, Enfant
Dont l'amour est plus grand que celui des prophètes ?

---

1. Ce titre était déjà décerné à Marie dans l'hymne *Nat.* XII, 11.
2. McVey traduit ici *ḥusphᵃ* par « boldness » et suggère en note une traduction peut-être plus exacte, « impulsiveness » : cf. *Nat.* XIV, 1.
3. Cf. Nb 12, 3.
4. Cf. Ex 2, 12 ; Nb 31, 13-17
5. Cf. 2 R 4, 36.
6. Cf. 2 R 2, 24.

17. Et ce fils d'Agar qui fut un âne sauvage[1]
    Frappa Isaac ; il souffrit en silence
  Et sa mère s'indigna[2] : es-tu son symbole
    Ou est-il ton type ? D'Isaac portes-tu la ressemblance
  Ou est-ce lui qui porte ton image ?

1. Cf. Gn 16, 12.
2. Cf. Gn 21, 9 ; d'après la tradition juive Ismaël persécutait Isaac : Cf. Ga 4, 29 ; *Pirqé* de RABBI ÉLIEZER, chap. 30.

HYMNE XIV

La séquence s'enchaîne aisément avec la précédente sur le thème de la « philanthropie » (str. 1-6, avec l'expression très suggestive : *Ami des hommes*). Pareille vertu signale la divinité, mais aussi traditionnellement, dans le monde hellénistique, le souverain *évergète*. Chez l'Enfant de la crèche, royal par son ascendance divine comme par son ascendance humaine, la « philanthropie » se nuance d'une grâce rayonnante et d'une aménité attractive : ce bébé étonnamment précoce (on songe à la représentation hiératique de l'Enfant comme un adulte dans l'iconographie byzantine) s'intéresse à chacun de ses clients (str. 4) et transforme comme par enchantement toute peine en joie (str. 5).

De cette liesse générale de l'humanité (str. 6), suscitée par la naissance du *Fils de David* (str. 1), David lui-même s'est fait l'initiateur en dansant devant l'arche : épisode qui préfigurait l'entrée triomphale de Jésus à Jérusalem (str. 7-8), cependant que les sarcasmes de Mikal (str. 8-9) inauguraient ceux du peuple juif contre le Messie (str. 10-11).

Comment ce Peuple épargnerait-il la conception virginale (str. 13), quand toutes les précautions de la législation mosaïque, si attentive à sauvegarder la réputation des femmes (str. 12-14), ne l'ont pas empêché de les diffamer? Conservée par les *femmes prudentes* cependant, la chasteté est une arme défensive contre les calomniateurs (str. 14) ainsi qu'une incomparable source de puissance thaumaturgique, comme en témoignent de grandes figures vétérotestamentaires : Élie (str. 16-17); Élisée (str. 18) et Moïse (str. 19). À travers ce dernier, entourant de garanties l'institution matrimoniale, c'est Éphrem lui-même que l'on devine, avec son souci pastoral constant pour les « filles du Pacte » (*bnôt qyâmâ*) et pour la femme en général, tel que nous l'avons déjà relevé dans l'*Hymne* XII.

HYMNE XIV

1. Viens, repose en silence sur le giron de ta mère,
        Fils du Majestueux[1]. Point ne sied l'effronterie
    Aux fils de rois. Tu es le fils de David
        Le Majestueux, et le fils de Marie
    Qui dans la chambre retirée[2] conserve sa beauté.

Refrain : Gloire à toi qui, en ce jour, montres à tous clair
                                [visage[3] !

2. À qui ressemble le nourrisson radieux,
        L'enfant gracieux, dont la mère est pure
    Et le père caché, que les séraphins même
        Ne peuvent regarder? A qui ressembles-tu?
    Dis-le nous, fils du Miséricordieux!

3. Des gens frémissants de colère sont venus te voir;
        Tu leur as souri, et ils ont échangé

---

1. « *yaqira* », titre honorifique; Éphrem joue ici sur une ambiguïté, car il peut s'agir aussi bien de Dieu que de David.

2. Éphrem use ici d'un mot rare *(taurnâ)* qui désigne un endroit retiré; il traduit *hèdèr* en Gn 43, 30 et ταμεῖον en Mt 24, 26. Sur cette image de la chambre nuptiale, cf. S. P. BROCK, *The Luminous Eye*, p. 92-106.

3. On pourrait aussi traduire, selon une autre signification du verbe *pṣḥ* : « Toi qui offres le sacrifice pascal ». Étant donné la présence de la perspective pascale dans la poésie noëlique d'Éphrem, il n'est pas téméraire de supposer qu'il ait joué sur cette ambiguïté.

De joyeuses plaisanteries ; des gens de méchante humeur
                                    [se sont amadoués
     Grâce à toi, Toute-Douceur. Qui es-tu, Enfant,
Pour que même les gens aigris soient par toi adoucis ?

4. Qui a jamais vu un nourrisson accueillir
     Ceux qui l'approchent ? De la poitrine (de sa mère)
Il se penche vers ceux qui sont au loin :
     Gracieux spectacle ! Un nourrisson qui n'est
                                    [qu'égards
Pour tous, de façon qu'ils le voient !

5. Quelqu'un a-t-il des ennuis et vient-il te voir ?
     Ses ennuis le quittent ; ressasse-t-il quelque souci ?
Grâce à toi il oublie son tracas ; grâce à toi l'affamé oublie
     Même sa nourriture ; et celui qui s'en allait avec
                                    [une mission,
Séduit par toi[1], en oublie son chemin.

6. Toi-même, au repos, tu laisses chacun vaquer
     À sa tâche ; toi-même, fils de pauvres,
Tu connais bien l'âme de tous les pauvres
     Qui sont venus, se donnant relâche[2] : Ami des
                                    [hommes[3],
De ton allégresse tu as drapé l'humanité.

7. David le roi, le Majestueux,
     Avait cueilli des rameaux[4] et, durant la fête,

---

1. Peut-être jeu de mots entre *šdr* et *šdl*.
2. BECK renonce à traduire tout ce passage en raison d'une lacune du cinquième hémistiche de la strophe, où, de surcroît, le mot *nap^šâ*, « âme, principe vital », aurait une signification inhabituelle : Mut (ZINGERLE), Stimmung (BECK), spirit (MCVEY). Nous suivons ici MCVEY.
3. *raḥem 'nâšâ* équivalent exact du grec φιλάνθρωπος.
4. Cf. 2 S 6, 5 : « avec des branches de cèdre et de cyprès »*(Peshiṭta).*

Au milieu des enfants avait rendu gloire ;
   Il faisait monter sa louange en dansant[1] : n'est-ce
                                            [pas l'amour
De David ton père qui maintenant bouillonne[2] en toi ?

8. Cette fille de Saül, c'est le démon de son père
   Qui parlait en elle ! Elle traita de licencieux[3]
Le Majestueux qui offrait un modèle
   Aux anciens du peuple pour qu'avec les enfants
Ils cueillent des branches[4] au jour de ta renommée.

9. Qui ne craindrait de te faire des reproches
   Comme si tu étais un effronté ? Ne voilà-t-il pas
                                   [que la fille de Saül,
Pour avoir vomi une scélératesse, a vu de l'enfantement
   Son sein privé[5] ? Parce que sa bouche s'était moqué,
Le salaire de sa bouche fut la stérilité.

10. Que l'effroi retienne les bouches de blasphémer contre toi
   De peur qu'elles ne soient fermées ! Fille de Sion,
Garde ta bouche au sujet du Fils de David
   Qui sourit devant toi ! Ne deviens pas
Comme la fille de Saül dont l'histoire est achevée.

11. Ce peuple impur, avec sa luxure
   Et son envie, Dieu vit
À quel point il était calomniateur. Il eut pitié

---

1. Cf. 2 S 6, 14 ; la mention des enfants relève d'une anticipation midra-chique sur l'entrée triomphale de Jésus à Jérusalem (Mt 21, 15).
2. Le verbe *rtaḥ* a toujours chez Éphrem une connotation prophétique : cf. *Nat.* V. 19 (Marie) ; VI, 14 (la prophétesse Anne).
3. Cf. 2 S 6, 16-22.
4. Cf. Mc 11, 1-11 ; Jn 12, 13.
5. Cf. 2 S 6, 23.

De ses femmes. Pour nous
Il multiplia ses secours au milieu des calomniateurs.

12. Si son époux la prenait en aversion,
Il écrivait l'acte de sa répudiation[1]; si d'elle il était
[jaloux,
Les eaux la mettaient à la question[2]; s'il la calomniait,
(Son père) présentait le drap[3]. Toute calomnie
Resta confondue devant Marie, car elle était scellée.

13. Autrefois déjà, Moïse avait mis à nu
La démesure de leur calomnie; quoique les draps
Des vierges chez leur famille (fussent conservés)[4],
Ils les ont condamnées, ils les ont mises à mort :
Combien plus ont-ils diffamé, dès lors, la Mère du Fils !

14. Par les eaux de l'ordalie, par les draps,
(Moïse) les avait instruits, pour que, lorsque viendrait
Le Seigneur des conceptions et qu'ils calomnieraient
[le sein
Où il devait habiter, les signes transparents de la
[virginité,
Devanciers de sa conception, les persuadent de croire
[en lui.

15. Si donc les signes de la virginité produits au jour
Ont sauvé l'épouse d'un homme
De l'épée, préservez-la, et (par elle) soyez préservées,

---

1. Dt 24, 1-4.
2. Cf. Nb 5, 11-30; str. 14
3. Cf. Dt 22, 13-19 (Le texte parle des parents au pluriel, alors qu'Éphrem parle du père seul, au singulier).
4. Comme preuve de leur intégrité avant le mariage.

Femmes prudentes, car c'est une arme qui, si (l'homme) a
[le dessus,
Contre son maître se retourne pour l'attaquer[1] !

16. Parce qu'il avait réprimé la passion de son corps,
Élie put empêcher la pluie[2]
De descendre sur les impudiques ; parce qu'il avait
[sevré son corps,
De rosée il put sevrer les fornicateurs
Qui tarissaient leurs sources en leur laissant libre
[cours.

17. Parce que le feu caché de la concupiscence corporelle
Ne dominait pas sur lui, le feu d'en haut
Lui fut soumis[3] ; et parce qu'il avait vaincu sur terre
La concupiscence charnelle, il est monté
Là où réside en paix la Chasteté[4].

18. Élisée lui aussi, parce qu'il avait mortifié son corps,
Fit revivre un mort[5]. Ce qui était mortel par nature
A retrouvé la vie grâce à la chasteté
Qui n'est pas dans la nature[6]. Il ressuscita l'enfant
Car il s'était purifié, comme on sèvre un nouveau-né.

---

1. Strophe difficile dont le sens est celui-ci : les femmes doivent conser-
ver leur virginité car, au cas où un homme serait convaincu de diffamation
contre sa jeune épouse (cf. Dt 22, 19), les signes de cette virginité produits
alors en public seraient une sauvegarde pour l'inculpée en même temps
qu'ils se retourneraient contre l'accusateur qui pensait s'en prévaloir.
    2. Cf. 1 R 17, 1.
    3. Cf. 2 R 1, 10.
    4. Cf. 2 R 2, 1-11 ; *Par.* VI, 23 s.
    5. Cf. 2 R 4, 32-38.
    6. Ce qui était mortel par nature (c'est-à-dire l'enfant), a retrouvé la vie
grâce à la chasteté (d'Élisée) qui n'est pas dans la nature ; cf. *Nat.* 1, 26.

19. Moïse, pour s'être divisé et séparé lui-même
  De son épouse, divisa la mer
  Devant la Prostituée[1] ; Séphora observa
    La continence, quoique fille d'un prêtre (païen)[2] ;
  La fille d'Abraham, elle, avec un veau forniqua[3].

---

1. Cf. Ex. 14, 16 ; « la Prostituée » ; c'est-à-dire le peuple d' Israël.

2. Éphrem établit un rapport entre le renvoi de Séphora (Ex 18, 2) et l'intervention de l'Ange de Yahvé (Ex 4, 24-26).

3. Cf. Ex 32.

HYMNE XV

Marie reprend son rôle de soliste et le conservera au fil des deux hymnes suivantes qui forment sans doute avec celle-ci un nouvel ensemble littéraire.

Après un exorde en forme de prière (str. 1), la Vierge s'étonne du don qui lui a été fait (str. 2) comme de la singulière attirance de son Fils pour les petites gens (str. 3). Mais les chants de la Mère se multiplient avec l'afflux des présents dans la crèche : elle devient cithare (str. 4)! Elle réitère sa demande d'inspiration (str. 5-6), puis évoque ses épreuves allégées par les consolations venues de son Fils, qui est aussi son justicier (str. 7-8). Le Psaume 72 n'est pas seul à s'accomplir en ce jour : tous les Psaumes reçoivent du Christ leur *saveur* (str. 10).

Marie est au centre du morceau. D'une façon qui lui est coutumière, Éphrem la présente pauvre (str. 2-3) et persécutée, mais radieuse (str. 7-8), c'est-à-dire conforme à l'esprit des béatitudes évangéliques et dans la pure tradition des *anawim* de l'Ancien Testament. On notera que les disputes contemporaines d'Éphrem autour de la conception virginale sont censées atteindre ici Marie d'une manière actuelle et personnelle.

Une lecture plus attentive de la pièce permettra néanmoins d'en discerner la véritable intention. C'est de
l'inspiration poétique et prophétique elle-même qu'il
s'agit. La première strophe en effet, puis, au centre de la
séquence, les strophes 5 et 6, établissent un parallélisme remarquable entre la conception virginale (le sein)
et l'élaboration du verbe poétique (la *bouche*); au principe de l'une comme de l'autre, n'y a-t-il pas une même
initiative, une même impulsion divine? Des cent cinquante Psaumes de David le chantre, et finalement de
l'Écriture entière, c'est encore le Christ qui est le sens,
le *sel*, comme dit Éphrem de façon imagée.

HYMNE XV

1. Par toi je vais commencer[1] et j'ai bon espoir
      Que par toi je vais finir; à moi d'ouvrir la bouche,
À toi de la remplir[2]. Pour toi je suis une terre,
      Toi tu es le laboureur : sème en moi ta voix,
Ô toi qui dans le sein de ta Mère t'es toi-même
                                   [ensemencé !

Refrain : Gloire à toi, Seigneur, et par toi à ton Père, au
                                   [jour de ta nativité !

2. De moi s'émerveillent toutes les chastes
      Filles des Hébreux et les vierges,
Filles de princes; à cause de toi voici enviée
      Une fille de pauvres gens; à cause de toi voici
                                 [jalousée
Une fille du commun ! Qui de toi m'a fait présent?

3. Fils du Riche, qui as récusé[3] le sein
      Des femmes riches ; qui t'a attiré
Vers les pauvres? Car Joseph est un indigent
      Et moi je suis dans le besoin. Tes marchands[4]
Sont venus apporter de l'or chez de pauvres gens !

---

1. C'est Marie qui parle.
2. Cf. Ps 81, 11, cité dans un contexte semblable en *HdF.* X, 1.
3. Littéralement, « Tu as haï » (sémitisme).
4. Allusion aux Mages; cf. Mt 2, 11.

4. (Marie) a vu les Mages ; ses chants se sont multipliés
Avec leurs présents : « Voici que tes adorateurs
M'entourent et que les présents à toi offerts
M'environnent : Béni soit le Tout-Petit
Qui a fait de sa Mère une cithare pour ses mélodies !

5. Et puisque la cithare à son maître est attentive,
C'est à toi qu'est attentive ma bouche ; que ta
[volonté imprime mouvement
À la langue de ta Mère ; et puisque j'ai appris de toi
Un nouveau mode de concevoir, que de toi ma
[bouche apprenne
Le nouvel enfantement d'une nouvelle louange !

6. Et si l'impossible pour toi n'est pas impossible[1],
– Puisque ce sont là choses aisées que des
[entrailles te conçoivent
Sans union charnelle et que, sans semence,
Un sein te mette au monde –, il est aisé dès lors à
[une bouche
De produire en abondance les fruits d'une immense
[louange à ta gloire[2].

7. Voici que je suis calomniée, méprisée,
Mais rayonnante de joie. Mes oreilles sont remplies
D'outrages et de sarcasmes, mais peu m'importe
De souffrir, car mille épreuves
Peuvent être chassées par une seule consolation venant
[de toi.

1. Cf. Lc 1, 37.
2. Cf. Gn 1, 22 et 28 ; He 13, 15.

8. Et puisque par toi, mon Fils, je ne suis pas méprisée,
      Je garde clair visage ; moi, la calomniée,
  J'ai conçu et enfanté le Juge véridique
      Qui me justifiera ; car si Tamar
  Fut justifiée par Juda[1], combien davantage le serai-je
                                 [par toi !

9. David, ton père, t'avait chanté un psaume
      Avant ta venue, disant que te serait offert
  L'or de Saba[2]. Le psaume qu'il avait chanté
      À mots nus, le voici réalité :
  La myrrhe et l'or s'accumulent devant toi !

10. Et les cent cinquante psaumes qu'il chanta
      Par toi prennent saveur, car elles ont besoin,
  Toutes les paroles des prophètes,
      De ton condiment ; car, sans ton sel,
  Toutes les sagesses sont sans saveur. »

1. Cf. Gn 38, 26.
2. Cf. Ps 72, 15.

HYMNE XVI

Encore une « berceuse » qui se conçoit comme un *chant nouveau* suggéré par l'Esprit (str. 8) et dont les thèmes se succèdent moins qu'ils ne se chevauchent et s'enchevêtrent avec la plus grande liberté.

Un premier mouvement (str. 1-7) exploite la notion d'image *(ṣalmâ)*, selon différents niveaux de signification qui s'appellent : du plan christologique *(image* équivaut à *nature,* str. 3) on glisse au plan sacramentel (str. 4-6), puis au plan théologal et mystique (str. 7). Les strophes 1-4 constituent un lieu particulièrement dense de la spiritualité eucharistique d'Éphrem ; l'allusion au rite de la consignation comme l'évocation des fruits de la communion invitent même à former une hypothèse quant au *sitz im leben* de la séquence : peut-être trouvait-elle place au cours de la synaxe.

Avec le « baptême » de Marie d'autre part, un nouvel élément de mariologie fait son entrée ; dans la pensée d'Éphrem, il s'agit surtout d'une solidarité de Marie avec toute l'humanité dans un rachat qui fait d'elle le chef d'œuvre de grâce de son propre enfant (str. 9-11). La désignation du baptême comme *seconde naissance* (str. 11) *dans l'eau et le sang* (str. 9-10) appuie encore la

dominante sacramentelle de la séquence. Originale également la perspective ecclésiologique dans laquelle est
envisagée la figure de Marie : celle-ci, exempte de toute
jalousie (str. 1), désire que l'Église entière entre en partage de son privilège personnel : la contemplation de
l'Emmanuel qui l'habite (str. 2 et 4).

La manière dont Éphrem utilise l'Écriture se signale
dans la coquetterie typologique qui lui fait évoquer successivement deux figures féminines homonymes : la
Tamar de second livre de Samuel (str. 12) et celle, déjà
bien connue, de la *Genèse* (str. 14). Puis le *Cantique des
cantiques* fournit matière à une variation, pleine de déli-
catesse, sur un thème floral (str. 14-15).

Dans les deux dernières strophes, ce n'est plus Marie
qui parle et cette rupture a suggéré à certains qu'il
s'agissait d'une addition postérieure[1]. La figure de
Joseph, présentée auparavant de façon négative (str. 14-
15), s'enrichit de traits importants quant à la théologie
d'ensemble du personnage : caractère « sacerdotal » de
sa mission (str. 16), et parallèle avec Moïse (str. 17).

---

1. Cf. P. YOUSIF, *L'Eucharistie...*, p. 352, note 41.

HYMNE XVI

1. Point jalouse ne suis, mon fils, de ce que tu es avec moi,
      Et avec tous aussi : sois le Dieu
    De qui te proclame; sois le Seigneur
      De qui te sert; et sois le frère
    De qui t'aime, afin de donner à tous la vie.

2. Lorsqu'en moi tu demeurais, c'est en moi et hors de moi
      Que ta Majesté habitait; et derechef, lorsque je t'ai
                            [enfanté
    Visiblement, ta Puissance cachée[1]
      De moi ne s'est pas éloignée; tu es en moi
    Et tu es hors de moi, toi, pour ta Mère déconcertant.

3. Quand je vois ton image, l'extérieure,
      Qui est devant mes yeux, ton image invisible
    Est peinte en mon esprit. Dans ton image visible
      C'est Adam que j'ai vu; et dans l'invisible,
    C'est ton Père que j'ai vu[2], à toi si étroitement uni[3].

---

1. Désignation fréquente de la divinité du Fils (cf. *Nat.* XIII, 11); *Az.* III (passim) et de l'Esprit (cf. *Nat.* XIII, 1).
2. Noter la portée christologique très marquée du binôme (visible/invisible) dans cette strophe. Le même mot *ṣalmâ* (image) y désigne d'une part la nature humaine du Christ, dans la ligne de Gn 1, 26 et d'autre part sa nature divine, dans la ligne de Col 1. 15.
3. Littéralement : « qui est mélangé à toi » (verbe *mzag*). Il faut garder à cette terminologie sa valeur d'image et ne point la juger selon la rigueur théologique du dogme de Chalcédoine.

4. Serait-ce à moi seulement qu'en deux images
         tu as montré ta beauté? Que le Pain te représente,
Et l'esprit (humain) aussi! Habite le Pain
         Et ceux qui le mangent! Dans l'invisible et le visible
Que ton Église te voie, comme Celle qui t'a enfanté[1]!

5. Celui qui hait ton pain ressemble à celui
         Qui hait ton corps. L'éloigné
Qui aime ton pain est comme le proche
         Qui chérit ton image. Dans le pain et dans le corps,
Ils t'ont vu, les premiers comme les derniers[2].

6. Honorable dès lors ton Pain, mon enfant,
         Bien plus que ton corps. Car les renégats aussi
Ont vu ton corps, mais ils n'ont pas vu
         Ton Pain de vie[3]; ceux qui sont loin se sont réjouis :
Supérieur est leur sort au sort de ceux qui sont proches.

7. Voici peinte ton image avec le sang des grappes[4]
         Sur le pain; et peinte sur le cœur
Par le doigt de l'amour, avec les couleurs

---

1. Modalité nouvelle de la présence divine (sous les espèces « visibles » du pain, et, par la manducation, dans l'esprit « invisible » des communiants); moyen nouveau aussi pour nous de contempler le Christ, l'Eucharistie dilate et communique pour ainsi dire à toute l'Église le privilège singulier de Marie.

2. Par la bouche de Marie, Éphrem affirme l'identité du corps physique du Christ et de son corps sacramentel ; l'attitude de foi ou de non-foi devant la présence sacramentelle est analogue à celle des témoins contemporains de la manifestation historique. Cf. P. YOUSIF, *L'Eucharistie...*, p. 276-277; 284-285.

3. Dom BECK voit dans ce passage « une allusion probable à la discipline de l'arcane dans le christianisme des origines » (trad. all. p. 76). Pour le P. YOU-SIF (*L'Eucharistie*, p. 63-64), une telle interprétation reste « une simple hypothèse ». Par « renégats » (terme qui qualifie volontiers les Juifs chez Éphrem) il semble que soient désignés en général tous ceux qui, Juifs ou non, refusent de croire à la révélation du Pain de vie (cf. Jn 6, 60-66).

4. Cf. Dt 32, 14.

De la foi. Béni celui qui a remplacé
Les images sculptées par son image de vérité[1]!

8. Tu n'es pas un homme (simplement) pour que
                                                [vulgairement
      Je te berce; car ta conception est une nouveauté,
Un miracle, ta naissance. Sans l'Esprit,
      Qui pourrait te chanter? Voici en moi l'effervescence
D'un parler nouveau, celui de la prophétie[2].

9. Comment t'appellerai-je, ô toi si différent de nous,
      Devenu l'un de nous? T'appellerai-je Fils,
T'appellerai-je Frère, t'appellerai-je Époux,
      T'appellerai-je Seigneur, toi qui as enfanté ta mère
Selon un enfantement nouveau, du milieu des eaux[3]?

10. Sœur en effet je suis, de la Maison de David
      Qui (nous) est un second père[4]; mère je suis aussi,
À cause de ta conception; épouse,
      À cause de ta chasteté[5]; servante et fille
Du sang et de l'eau, moi, par toi rachetée et baptisée[6].

---

1. Dans une intuition où se mêlent poésie, liturgie et mystique, Éphrem interprète ici le rite de la consignation (pain et vin) comme une représentation de l'humanité du Christ (chair et sang composent son « image ») et de la vie théologale du fidèle qui se l'approprie sacramentellement. Cf. DOLGER, *Antike und Christentum* V (1936), p. 275 s. ; P. YOUSIF, *L'Eucharistie...*, p. 112, 154, 285.

2. Cf. Ps 45, 2; Ps 96, 1; Ac 6, 4. La berceuse de Marie n'est pas purement humaine : elle tient du « chant nouveau » et de la glossolalie charismatique.

3. Selon Éphrem, Marie a reçu le baptême, cf. E. BECK, *Le Baptême chez saint Éphrem*, OS 1 (1956), p.117.

4. David est « père en second » (trad. adoptée par BECK), après Dieu le Père, cf. *Nat.* VI, 1-2.

5. « à cause de ta sainteté/sa chasteté ». Le terme *qudšâ* a ici une note de sacralité liturgique : Jésus est le Saint qui consacre le sein de Marie et l'esprit des vierges (cf. *Nat.* IV, 130 et 132; P. YOUSIF, *L'Eucharistie*, p. 341).

6. Cf. Jn 19, 34. Éphrem, qui insiste tant par ailleurs sur le rôle de Marie

11. Le Fils du Très-Haut en moi est venu habiter,
Et je suis devenue sa Mère ; et comme je l'avais
[enfanté
D'un autre enfantement, lui aussi m'a mise au monde
Dans une naissance seconde : de Celui qui, du
[maternel vêtement,
Son corps, s'était vêtu, j'ai revêtu la gloire.

12. Tamar, qui appartenait à la Maison de David,
Fut par Amnon violée[1], et de leur Maison à tous deux
Disparut et se perdit la virginité ;
Ma perle à moi[2] ne s'est point perdue,
En ton trésor placée : Tu t'en es revêtu !

13. Tous les signes virginaux de tes épouses
Par toi sont préservés ; ce sont atours pourprés[3]
Qu'il n'est permis à personne de toucher,
Sinon à notre Roi, car la virginité
Est comme un manteau[4] pour toi, ô grand-Prêtre !

14. De Tamar s'exhalait la senteur de son beau-père :
Elle en avait dérobé les parfums[5] ; mais des
[vêtements
De l'épouse de Joseph, pas le moindre souffle odorant
[ne se dégageait,

comme nouvelle Ève, affirme ici nettement que Marie est la première des
rachetés ; c'est en cela que consiste son mystérieux « baptême ».
1. Cf. 2 S. 13, 1-22.
2. La « perle » est la virginité : cf. *Virg.* II, 4-5 ; II, 10 ; III, 12.
3. Cf. *Nat.* V, 1.
4. En *Nat.* XIV, 12, le même mot *šušepâ* désignait la pièce à conviction pro-
duite pour attester la virginité d'une épouse.
5. Cf. Gn 38, 13 s. Le vol des parfums symbolise l'union charnelle. La
métaphore qui court dans cette strophe et la suivante est empruntée au Ct 1,
3 ; 1, 12 ; 2, 3.

Car le baume[1] que j'ai conçu
Mur de feu m'est devenu : ta Conception, Fils du Saint !

15. La fleur était inodore, car du glorieux lys
L'arôme était plus fort ; le Trésor des parfums
N'avait pas besoin de la fleur
Ni de sa fragrance[2] ; la chair s'est éloignée
Lorsqu'elle a vu dans le sein ce qui était conçu de l'Esprit[3].

16. La femme accomplit son service en présence de son
[époux,
Parce qu'il est son chef[4] ; Joseph, lui, s'est mis debout
Pour le service, en présence de son Seigneur
Qui était en Marie ; prêtre, il officie
Devant ton Arche, à cause de toi, ô Saint[5] !

17. Moïse avait porté les tables de pierre
Que son Seigneur avait écrites ! Joseph escortait
La Table pure en laquelle habitait
Le Fils du Créateur[6] ; les tables furent abandonnées,
Car ton enseignement a rempli l'univers.

---

1. *ṣarwâ* : produit d'arbres résineux (cf. Gn 37, 25). À l'arrière plan scripturaire de l'image, il y a peut-être Ct 1, 13 et 2 Co 2, 15.

2. La conception virginale du « lys », c'est-à-dire du Christ (cf. Ct 2, 1 et 5, 13) fait s'évanouir l'odeur de la « fleur », c'est-à-dire de Joseph, avec qui Marie n'a entretenu aucun commerce charnel.

3. Cf. Mt 1, 20. Remarquer dans cette strophe le jeu de mots entre *rūḥâ* (Esprit) et *riḥâ* (parfum).

4. Cf. 1 Co 11, 3.

5. « À cause de la sainteté » : même expression qu'à la strophe 10 (cf. n. 12). La présence sacrale du Verbe en Marie fait d'elle une arche et transforme Joseph en liturge, bouleversant ainsi la hiérarchie de la famille ordinaire.

6. Cf. Ex 32, 15. Marie est dite « Table », parce que le Christ est consigné en elle comme Parole. Le thème de cette strophe se retrouve dans le *De Tabulis Legis* d'Éphrem (LAMY II, col. 729).

HYMNE XVII

Après la rupture de sujet parlant relevée en XVI, 16-17, Marie reprend le fil de sa « berceuse » et monologue tout d'abord. La fuite en Égypte (str. 1-3) dont elle paraît avoir l'initiative est présentée à la manière d'une *ascension*, dans le style de l'apocalyptique judéo-chrétienne; mais le Cantique du *Deutéronome*, à l'arrière-plan de l'inspiration lui aussi, suggère qu'à travers Marie c'est l'Église entière, nouveau Peuple de Dieu, qui est emportée par le Fils.

Puis Marie s'adresse à son Enfant pour se comparer à Ève (str. 4) : le thème de la *Virgo amiciens et amicta* se retrouvera dans la mariologie de Bernard de Clairvaux.

Les béatitudes de la virginité consacrée dont Marie est le prototype sont ensuite proclamées (str. 5-10), ainsi que les privilèges qui l'escortent : inhabitation divine (str. 5), sécurité (str. 7), rapport fraternel et sponsal avec le *Bien-aimé* (str. 8), affranchissement (str. 9-10). On perçoit ici de nouveau, soutenue par la parénèse paulinienne de I Co 7, la prédication d'Éphrem aux « fils » et aux « filles du Pacte » qui se recrutaient, semble-t-il, dans toutes les couches de la société.

Les strophes 11-16 constituent une sorte d'invitatoire de style prophétique. Marie convoque tour à tour auprès de son Fils les femmes et les Églises (str. 11), puis tous les infirmes. Les miracles de guérison opérés par Jésus, en particulier celui de l'aveugle-né (str. 12, 14-15), signalent un renouvellement de la création primitive dont le Fils était déjà l'agent (str. 5) et attestent la divinité de ce même Fils que l'hymne, dans une sorte de leitmotiv théologique, appelle à trois reprises *Fils du Créateur* (str. 11, 14, 18) et ailleurs encore *Fils de l'Être primordial* (str. 15). La séquence se clôt sur une pointe polémique contre Marcion (str. 17-18).

HYMNE XVII

1. Il m'a porté, l'Enfant que je porte,
    Disait Marie. Il a incliné son pennage,
  Il m'a prise, il m'a placée
    Entre ses ailes ; dans les airs il s'est envolé[1] et m'a
                                        [promis :
  « Hauteur et profondeur seront à ton Enfant ».

Refrain : Gloire à toi, Fils du créateur, qui aimes tous les
                                        [hommes !

2. J'ai vu Gabriel qui l'a appelé « Seigneur »[2]
    Et le grand-prêtre, le vieux serviteur[3]
  Qui le portait solennellement ; j'ai vu les Mages
    prosternés[4] ; j'ai vu Hérode
  Consterné de ce qu'un Roi fût advenu[5].

---

1. L'image du Christ-Oiseau, fréquente dans la première littérature chrétienne, a sa source scripturaire dans des textes tels que Dt 32, 11-12 ; Ps 104, 3 ; Mt 23, 37. Cf. *Az.* XVI, 11-13. BECK étudie cette strophe dans *Mariologie*, p. 25.
2. Cf. Lc 1, 32-33 ; *HdF.* IV, 3, 1.
3. Cf. Lc 2, 25 s. Pour Éphrem, Syméon était grand-prêtre.
4. Cf. Mt 2, 11.
5. Cf. Mt 2, 3.

3. Satan aussi, qui avait noyé les enfants
    Pour faire périr Moïse, tue les enfants (maintenant)
Pour que le Vivant meure : en Égypte je vais fuir,
    Puisqu'il est venu en Judée, afin qu'il s'égare et
                                                [s'épuise
En chasse de son Chasseur[1].

4. En sa virginité Ève s'était revêtue
    De feuilles d'infamie. Ta mère s'est revêtue
En sa virginité d'un manteau de gloire
    Qui amplement suffit[2]; d'un pauvre vêtement[3],
D'un corps, j'ai fait présent à Celui qui pourvoit tout
                                                [d'un habit.

5. Heureuse celle dont tu habites le cœur
    Et l'esprit[4]! C'est une citadelle
À cause de toi, Fils du Roi ; un Saint des saints
    Pour toi, ô Grand-Prêtre ! Point de soucis pour elle,
Point de fatigues, venant d'une maison, d'un mari.

6. Quant à Ève, elle fut une fosse, un tombeau
    Pour le Serpent maudit ; lorsqu'en elle pénétra
                                                [pour y habiter
Son mauvais conseil, en devenant poussière
    Elle devint pain pour lui[5]. C'est toi notre Pain,
C'est toi notre chambre nuptiale, notre robe de gloire !

1. C'est Marie qui paraît avoir ici l'initiative de la fuite en Égypte ; Éphrem rend plus explicite encore le parallèle entre le massacre des Innocents et la suppression des enfants mâles hébreux (Ex 1, 22), simplement suggéré par le récit de Matthieu (Mt 2, 16).
2. Cf. Gn 3, 7 ; *Par.* II, 7 et VI, 9 ; *Virg.* XXXV, 2.
3. Le terme *perisâ* employé ici a de riches significations : pectoral du grand prêtre, voile du Temple, pain eucharistique.
4. En *Virg.* XXIV, 7 il est dit de même, à propos de Marie de Béthanie, qu'« elle représente le Christ dans son cœur (*lebâ*) et qu'elle l'embrasse dans son esprit (*re'yânâ*) ».
5. Cf. Gn 3, 14.

7. Celle qui vit en continence est-elle effrayée ?
       Voici son protecteur. A-t-elle commis l'iniquité ?
   Voici celui qui lui pardonne. A-t-elle un démon ?
       Voici celui qui le chasse ; et pour ceux qui
                                [éprouvent la souffrance,
   Voici le médecin qui bande leurs blessures.

8. Une mère a-t-elle un enfant ? Qu'il vienne, qu'il soit
       Un frère pour mon Bien-Aimé ! A-t-elle une fille
   Ou une parente ? Qu'elle vienne, qu'elle soit
       Une épouse pour mon Très-Cher ! Quelqu'un a-t-il
                                        [un serviteur ?
   Qu'il l'affranchisse pour qu'il entre au service de son
                                        [Seigneur !

9. L'homme libre, mon Fils, qui a pris ton joug[1],
       N'a qu'un salaire. Mais l'esclave qui porte
   La paire de jougs imposée par deux maîtres,
       – Celui d'en haut et celui d'ici-bas –
   Pour lui double béatitude il y a,
       Et à son double fardeau, double salaire.

10. La femme libre, mon Fils, est ta servante elle aussi,
       Si elle te sert ; et l'esclave
   Grâce à toi devient une femme libre ; elle reçoit de toi
                                        [consolation
       Parce qu'elle est affranchie ; une secrète
                                        [émancipation
   Repose en son sein, si c'est toi qu'elle aime.

1. Cf. Mt. 11, 29.

11. Ô chastes femmes, empressez-vous à la rencontre de mon
[Bien-aimé
Pour qu'il vous habite ! Et vous aussi, impures,
Pour qu'il vous sanctifie ! Et vous aussi, Églises,
Pour qu'il vous pare ! Du Créateur il est le Fils,
Venu restaurer[1] toutes les créatures.

12. Il a renouvelé le ciel dont les insensés avaient adoré
Tous les luminaires ; il a renouvelé la terre[2]
Sénescente à cause d'Adam ; c'est un ouvrage[3]
[nouveau
Qui, par sa salive[4], a été façonné, et le Tout-Puissant
A redressé les corps avec les esprits.

13. Venez, aveugles, sans argent[5]
Recouvrez des yeux ! Venez, boiteux :
Recouvrez vos pieds (sains) ! Muets et sourds :
Recouvrez vos voix ! Et vous dont la main est
[desséchée,
Recouvrez, (guéries), vos mains !

14. Le Fils du Créateur, c'est lui dont les trésors sont remplis
De toutes sortes de secours : celui qui manque
De pupilles, qu'il vienne à lui !
Il fait de la boue, il la transforme,
Il en fait de la chair, aux yeux il donne la lumière !

---

1. Pour la signification du verbe « *bdaq* », cf. *CH.* XLIII, 9, 2 ; BECK traduit : « wieder herstellen ».
2. Cf. Ap 21, 1-5.
3. Le terme *gebilt^hâ* suggère l'image de la pâte entre les mains du potier ; cf. str. 14-15 ; *HdF.* X, 7.
4. Cf. Mc 7, 33 ; Jn 9, 6.
5. « Invitatoire » dans le style de 15, 55, 1 s.

15. Avec un peu de boue il a montré que par sa main
        Notre poussière fut façonnée[1] ; l'âme du mort[2]
    A témoigné elle aussi que par lui fut insufflée
        À l'homme l'haleine vitale : par ces témoins venus
                                                    [en dernier,
    La certitude a été confirmée qu'il est le Fils du Primordial.

16. Venez, assemblez-vous, lépreux ! Sans peine
        Recevez la purification ! Car il n'est plus besoin,
    Comme (du temps d') Élisée, d'aller sept fois
        Dans le fleuve se plonger[3] ; il ne fatigue plus, lui,
    Comme les prêtres fatiguaient (autrefois) avec leurs
                                                    [aspersions[4].

17. Les sept bains d'Élisée symboliquement ont purifié
        Les sept esprits[5] ; hysope et sang[6] :
    Grande typologie ! Il n'y a pas de place
        Pour la condition d'étranger[7], car le Fils du
                                                    [Seigneur de l'Univers
    Pour le Seigneur de l'Univers n'est pas un étranger.

---

1. Dans la même perspective anti-marcionite que IRÉNÉE (*Adv. Haer.* V, 15, 2), Éphrem interprète Jn 3, 6, en relation avec Gn 2, 7. Le Fils lui-même est présenté comme le créateur d'Adam ; BECK interprète *b'idéh* comme une simple locution propositionnelle (*durch ihn*) ; avec MCVEY nous préférons garder l'image de la main, particulièrement parlante ici.
2. Il s'agit de Lazare (cf. Jn 11), interprété également en relation avec Gn 2, 7.
3. Cf. 2 R, 5, 10 (la purification de Naaman).
4. Cf. Lv 14, 1-32.
5. À la fois les sept démons chassés de Marie-Madeleine (cf. Lc 8, 2) et ceux de la parabole (cf. Mt 12, 45).
6. Les remèdes de la législation ancienne concernant la lèpre (cf. Lv 14, 4-7) préfigurent le sacerdoce du Christ.
7. *nūkrâyūt^â*, terme technique de christologie ; l'hymne s'achève sur une pointe polémique contre Marcion qui opposait le Dieu de l'Ancien Testament, Dieu du mal, à celui du Nouveau Testament, Dieu du bien.

18. Car si le Juste a rendu lépreux le corps
          Et que toi tu le purifies, c'est que le Façonneur du
                                                        [corps
      Hait le corps que toi tu aimes :
          Mais c'est toi qui l'as façonné ! Les gages de
                                                    [guérison
      Que sur lui tu as placés proclament que tu es le Fils du
                                                    [Créateur.

HYMNE XVIII

L'exorde (str. 1-3) présente en diptyque deux « rois-soleils » : le Christ-Orient est né au temps d'Auguste, l'empereur appelé *Splendeur*. Mais l'idée de roi appelant sans doute celle de couronne et celle de recensement celle d'âge , Éphrem laisse là le thème solaire pour inviter son auditoire à tresser, en l'honneur des trente années de vie terrestre du Fils, une *couronne* de trente éloges qui occupera tout le reste de l'hymne; aimable trouvaille qui porte à son apogée cette symbolique de la couronne[1] que l'hymnographe affectionne, en même temps qu'elle témoigne de la spontanéité de sa dévotion.

La plus complète liberté préside à la composition. Tout au plus peut-on discerner dans son déroulement le mouvement volontiers « descendant », coutumier aux grandes séquences doxologiques de la Bible (cf. par exemple Ps. 104, Ps. 148-150, Dn 3, 51-90) : après les créatures angéliques (str. 5-7), viennent les éléments de la nature (str. 8-15, d'inspiration quasi-franciscaine). Semblables attaches scripturaires se laissent de nou-

---

1. Cf. J. Daníélou, *Les Symboles chrétiens primitifs*, Paris 1961, p. 9-13 : La palme et la couronne. Sur Éphrem, cf. p. 19 et 29.

veau pressentir dans la séquence historique amorcée en fin d'hymne (str. 30-35). Entre Création et Histoire schématiquement suggérées, le langage imagé des paraboles et du quatrième Évangile, réservoir inépuisable de la symbolique éphrémienne, occupe une place importante : *agneau* (str. 18-19), *grain de blé* (str. 20), *vigne* (str. 21-22), *levain* (str. 23) et *sel* (str. 24). De façon plus ou moins évidente, en outre, une harmonisation a été parfois recherchée entre les protagonistes des éloges et les chiffres des années célébrées (str. 6, 9, 16, 18-20) : pareil jeu sur les nombres est familier lui aussi à Éphrem.

D'après le colophon qui l'accompagnait dans la principale source manuscrite, l'*Hymne* XVIII se trouvait achever la collection des Berceuses : situation amplement justifiée par son caractère de doxologie et de célébration anticipée de toute la carrière qui s'ouvre devant l'Enfant et qui culminera dans la kénose et le triomphe pascal (str. 5-7, 11, 17, 19, 29-36). Prononcée sur le Roi nouveau-né, cette longue *berakha*, d'une veine bien judéo-chrétienne, s'inscrit également dans une tradition du lyrisme hellénistique : celle des « chants de victoire » (*epinikia*) et des éloges composés pour les souverains au jour anniversaire de leur naissance (*genethliaca*).

HYMNE XVIII

1. Durant les années du roi auquel on a donné
      Le nom de « Splendeur[1] » notre Seigneur s'est levé[2]
Chez les Hébreux ; vinrent à régner
      « Splendeur » et « Orient » : le roi sur la terre
Et le Fils dans les hauteurs. Bénie soit sa souveraineté !

Refrain : Louange à toi qui en cette fête
      As fait rayonner sur tous la joie[3] !

2. Aux jours de l'empereur qui recensa le monde
      Dans le registre de la capitation[4], notre
                [Rédempteur est descendu
Pour recenser le monde dans le livre de vie[5].
      Il a recensé et on l'a recensé : dans les hauteurs il
                [nous a inscrits,
Et sur la terre on l'a inscrit : gloire à son Nom !

---

1. Ṣemḥâ signifie en syriaque à la fois « rayon » et « germe ». L'attribution d'un tel titre à l'empereur Auguste, évidemment désigné ici, n'est pas claire ; Beck suggère un rapprochement entre Augustus et ἀπαύγασμα, splendeur (*CSCO* 187), p. 83, n. 1.
2. Image solaire : *d'naḥ* ; plus loin nous aurons « Orient », *denḥâ*, qui, dans la *Peshiṭṭa*, traduit le titre messianique *ṣémaḥ* en Za 3, 8 et 6, 12.
3. Cf. note sur *Nat.* XIV, refrain.
4. Cf. Lc 2, 1-3.
5. Cf. Ph 4, 3 ; Ap 13, 8.

3. Sa Naissance (eut lieu) aux jours du roi
  Dont le nom est « Splendeur »; symbole et vérité
Se sont rencontrés : roi et Roi,
  « Splendeur » et « Orient »; l'empire
A arboré Sa Croix : béni soit Celui qui l'a exalté[1] !

4. Trente années[2] il demeura sur terre
  En pauvreté. Tressons, mes frères,
Avec nos voix, des louanges de toutes sortes
  Pour les années de notre Seigneur; trente couronnes
Pour trente années. Bénie soit Sa Nativité !

5. La première année, maîtresse des trésors
  Et remplie de bontés, qu'avec nous remercient
Les chérubins qui portèrent le Fils dans la gloire[3];
  Sa gloire, il l'a abandonnée pour retrouver à grand
                                                    [peine
La brebis perdue[4]. À lui l'action de grâces !

6. En la deuxième année, que les Séraphins multiplient
  Les remerciements en notre compagnie; au Fils ils
                                        [avaient crié : « Saint[5] ».
Derechef ils l'ont vu, outragé cette fois,
  Parmi les incrédules[6]; mépris il endura,
Gloire il enseigna : louange soit à lui !

---

1. BECK émet l'hypothèse que cette strophe, à travers Auguste, fait allusion à son lointain successeur Constantin et au fameux « labarum »; pour
rendre plus explicite cette allusion, nous sollicitons quelque peu le terme
« *malkūtā* » (royauté) en le traduisant par « empire ».
2. Cf. Lc 3, 23.
3. Cf. Ez 1, 5-21 (considéré comme théophanie du Fils).
4. C'est-à-dire Adam; cf. Mt 18, 10-14; Lc 15, 3-7; *CH.* XXVI, 6.
5. Cf. Is 6, 2-5 : les Séraphins étaient au nombre de deux.
6. Cf. *Az.* XIII, 13-14.

7. En la troisième année, que Michel et sa troupe
      Avec nous remercient ; eux qui avaient servi
Le Fils dans les hauteurs, ils l'ont vu sur la terre
      Comme un serviteur, lavant les pieds[1],
Nettoyant les âmes : bénie soit son humilité !

8. En la quatrième année, qu'avec nous remercie
      Le ciel dont la totalité pour le Fils est trop exiguë ;
Dans l'admiration il l'a vu attablé sur le divan
      De Zachée le méprisé[2] ; il remplissait le divan,
Lui qui remplit le ciel ! À lui la majesté !

9. En la cinquième année, que le soleil[3] brûlant
      La terre de son haleine remercie notre Soleil
Qui a incliné sa grandeur et tempéré sa puissance,
      Pour que l'œil débile de l'âme invisible
fût capable de le regarder[4] : bénie soit sa radiance !

10. En la sixième année, qu'avec nous remercie
      L'air entier dans l'immensité duquel
Tout est transporté de liesse[5] ; il a vu son Seigneur
      De grand devenir petit bébé
Dans un sein tout petit : bénie soit sa noblesse !

11. En la septième année, nuages et vents,
      Avec nous jubilez ! Répandez votre rosée[6]
Sur la face des fleurs ! Voyez le Fils asservir

---

1. Cf. Jn 13, 5.
2. Cf. Lc 19, 1-10.
3. Jeu de mots probable entre *hameš* (cinq) et *šemšâ* (soleil).
4. Cf. *Nat.* XVI, 3 ; *Virg.* LI, 3-4 ; LII, 3-5.
5. Cf. *Par.* IX, 14 ; le *Et^{h}pa'al* du verbe employé ici se dit d'une source en ébullition.
6. Cf. Is 45, 8.

Sa splendeur, endurer les outrages
Et les crachats infects[1] : bénie soit sa Rédemption !

12. Et l'année suivante, la huitième,
        Que rende gloire la création, elle qui, de ses
                                              [propres sources,
    Allaite ses fruits ; elle s'est mise à genoux en voyant
        le Fils dans le giron, le Pur sucer
    Le lait pur : béni soit son bon plaisir !

13. En la neuvième année, que la terre glorifie,
        Elle dont le sein stérile, lorsqu'il est irrigué,
    Donne alors naissance ; elle a vu Marie,
        La Terre assoiffée[2] ; comment le Fruit qu'elle a donné
    Est une mer immense : à lui l'altesse !

14. En la dixième année, que le Mont Sinaï
        Rende gloire, lui qui fondit[3] en présence de son
                                              [Seigneur ;
    Il vit que contre son Seigneur on avait pris des pierres[4] :
        Il prit des pierres pour construire son église
    Sur des pierres[5] : bénie soit sa Construction !

15. En la onzième année, que remercie
        La mer immense que le Fils dans le creux de sa main
    A mesurée[6] ; elle l'a vu toute étonnée

---

1. Cf. Mc 14, 65.
2. Cf. *Nat.* VIII, 8 ; XI, 4.
3. Cf. Ex 19, 18 ; Ps 97, 5 ; *Az.* XV, 2 (même verbe) ; Éphrem a peut-être affecté le Sinaï à la dixième année en raison du Décalogue.
4. Cf. Jn 10, 31.
5. Outre l'allusion probable à Mt 16, 18, il y a ici une allusion certaine à l'église bâtie par Julien Saba sur le Sinaï (cf. *Jul. Sab.* XIX, 13-18).
6. Cf. Is 40, 12.

descendre, se plonger dans un cours d'eau bien
[petit[1]
Et nettoyer la création : bénie soit sa victoire.

16. En la douzième année, que remercie
Le Temple Saint qui vit l'Enfant
Assis parmi les anciens[2] ;
Ils restaient cois, les sombres[3] (scribes), tandis que
[bêlait, au jour de sa fête[4],
L'Agneau festal ! Béni soit son pardon !

17. En la treizième année, que les diadèmes avec nous
Remercient le Roi triomphant ;
Il fut couronné, lui aussi, d'une couronne d'épines[5] ;
Il a tressé pour Adam, à sa Droite (placé)[6],
Un grand diadème : béni soit Celui qui l'a envoyé !

18. En la quatorzième année[7], que l'agneau d'Égypte
Remercie l'Agneau qui est venu
Faire resplendir la joie sur tous[8] ; à la place de Pharaon,
Il a englouti « Légion » ; à la place des cavaliers,
Il a noyé les démons[9] : bénie soit sa Rétribution !

1. Cf. Mt 3, 16.
2. Cf. Lc 2, 46 : Jésus avait douze ans lors de cet épisode (cf. Lc 2, 42).
3. L'adjectif « *ūk^hâmâ* » se dit du vin, des yeux, des vêtements ; Éphrem l'emploie à propos de l'empereur Julien (cf. *C. Jul.* II, 9, 3) : l'Enfant-Agneau par sa blancheur, fait tache au milieu des sombres docteurs.
4. L'épisode se situe dans un contexte pascal : cf. Lc 2, 41.
5. Cf. Mc 15, 16-20.
6. Sur l'exaltation de la nature humaine à travers celle du Christ, cf. *HdF.* L, 5.
7. Les nombres quatorze et quinze, consacrés par la date de la Pâque vétéro-testamentaire (cf. Ex 12, 6 ; *Cruc.* III, 1) ont suggéré tout spontanément à Éphrem le thème de l'Agneau.
8. Même expression que dans le refrain de l'Hymne : cf. note sur *Nat.* XIV, *refrain*.
9. Cf. Ex 14, 28 ; Mc 5, 1-20.

19. En la quinzième année, que remercie
           L'agneau du troupeau que Notre Seigneur n'a
                                              [point occis,
     comme le fit[1] Moïse ; mais il a racheté par son propre sang
     L'humanité ; cet universel Berger
     Est mort pour tous : béni soit Celui qui l'a envoyé !

20. En la seizième année, que le symbolique grain de blé[2]
           Remercie le Laboureur
     Qui de son Corps a ensemencé la terre stérile ;
           Elle qui retenait tout grain celé[3], elle a germé, elle a
                                                         [donné
     Le Pain nouveau : béni soit le Vainqueur !

21. En la dix-septième année, que le cep
           Remercie Notre Seigneur, la Vigne véritable[4] ;
     Comme des plants sont les âmes :
           Il a cultivé la vigne, mais il a détruit la vigne
     Qui donnait du verjus[5] ; béni soit Celui qui l'a arrachée !

22. En la dix-septième année, que le cep saccagé
           Par le sanglier des forêts[6] remercie
     Le Vigne véritable qui s'est elle-même cultivée,
           Gardant son fruit, offrant son fruit
     Pour le Maître de la Vigne : béni soit son Vigneron !

---

1. Cf. *Nat.* VII, 4 et XVIII, 30.
2. Cf. Jn 12, 24.
3. Même verbe et même image en *Virg.* VII, 3.
4. Cf. Jn 15, 1 ; var. « Le Seigneur des vignes ».
5. Cf. Is 5, 2.
6. Cf. Ps 80, 14.

23. En la dix-huitième année,
    Que notre levain remercie le Levain véritable[1]
Qui a pénétré et attiré tous les esprits,
    Faisant d'eux un seul esprit
Par une seule doctrine : bénie soit ta doctrine !

24. En la dix-neuvième année, que le sel[2]
    Remercie ton corps, Nourrisson béni !
L'âme est le sel du corps,
    et la foi le sel de l'âme,
Puisque l'âme est par elle conservée : bénie soit ta
                    [conservation !

25. En la vingtième année, qu'avec nous remercie
    La richesse éphémère que les parfaits
Ont laissée, abandonnée, à cause de la malédiction[3] ;
    Ils en sont venus à aimer la Pauvreté
À cause de la béatitude à elle (attachée)[4] : béni soit
                [Celui qui en elle se complaît !

26. En la vingt et unième année, que remercient
    Les eaux devenues douces[5] en symbole du Fils ;
À cause du miel de Samson qui les avait exterminées[6],
    Amères étaient devenues les Nations : elles ont
              [retrouvé la vie par la Croix
Qui les a rachetées : bénie soit ta douceur !

---

1. Cf. Dans la parabole de Mt 13, 33, le levain ne désigne pas le Christ, mais le Royaume ; cf. *HdF.* XII, 12 ; XXV, 9 ; *CH.* II, 12.
2. Le sel est lui aussi image du Royaume (Cf. Mt 5, 13) : par cette image, Éphrem exprime à la fois son anthropologie et sa conception du rôle de la foi dans la vie chrétienne.
3. Cf. Lc 6, 20-24.
4. Cf. Mt 5, 13.
5. Cf. Ex 15, 25.
6. Cf. Jg 14, 5-20.

27. En la vingt-deuxième année, que remercient
L'armure et l'épée qui n'ont point suffit à tuer
Notre Ennemi ; toi tu l'as tué,
Mais à sa place tu as remis l'oreille qu'avait
[tranchée
Le glaive de Simon[1] : bénie soit ta guérison !

28. En la vingt-troisième année, que remercie
Aussi l'ânesse qui fournit l'ânon[2],
Monture de Celui qui ouvre la bouche
Même des ânes sauvages ; la progéniture d'Agar
A offert son Hallel[3] ; béni soit ton Hallel !

29. En la vingt-quatrième année, que la richesse
Remercie le Fils ; les trésors ont vu avec
[émerveillement
Le Seigneur des trésors élevé
Chez les indigents ; il s'est fait pauvre
Pour enrichir[4] tous les hommes : bénie soit ta
[promiscuité[5] !

30. En la vingt-cinquième année, qu'Isaac remercie
Le Fils qui du couteau
Sur la montagne l'a préservé[6], en devenant à sa place
L'agneau immolé ; le mortel réchappa,
Et mourut Celui qui à tous donne vie : béni soit son
[sacrifice !

---

1. Cf. Jn 18, 10-11 ; Lc 22, 51.
2. Cf. Mt 21, 2-5 (Za 9, 9).
3. Cf. Gn 16, 12 ; allusion, selon BECK, à la conversion des Arabes bédouins à la foi chrétienne.
4. Cf. 2 Co 8, 9.
5. Le terme *ḥūlṭânâ* est l'équivalent du latin *commercium*, terme dont les Pères latins usent fréquemment pour exprimer l'Incarnation ; cf. *Res.* I, 12.
6. Cf. Gn 22, 6 et 10.

31. En la vingt-sixième année, que Moïse avec nous
        Remercie, lui qui, pris de panique, s'enfuit
      Loin des meurtriers[1]; qu'il remercie le Fils :
          C'est lui qui, sur ses traces[2], au Shéol est entré,
      L'a pillé, en est sorti : bénie soit ta Résurrection !

32. En l'année qui est la vingt-septième,
          Que les avocats éloquents remercient le Fils ;
      Alors qu'ils n'avaient pas trouvé à notre cause
                                              [d'expédient
      De manière à nous faire gagner, lui s'est tu au
                                              [tribunal[3],
      Et à la barre il nous a fait triompher : à lui la célébrité !

33. En la vingt-septième année, que remercient
          Tous les juges qui, comme de justes juges,
      Ont mis à mort les délinquants; qu'ils remercient le Fils,
          Mort comme bon à la place des méchants,
      Lui, le Fils du Juste, pourtant ! Bénie soit sa miséricorde !

34. En la vingt-huitième année,
          Qu'ils remercient le Fils, tous les héros
      Qui ne nous ont point sauvés de celui qui nous retenait
                                              [captifs !
          Seul est digne d'adoration Celui qui fut immolé
      Et parvint à nous sauver : bénie soit sa libération !

---

1. Cf. Ex 2, 11-15.
2. *b'raglawhi* : nous suivons ici l'interprétation de BECK qui reconnaît à cette expression des attaches bibliques (Jg 5, 15) et des parallèles dans l'œuvre d'Éphrem (*CH*. LV 3; *Par*. VIII, 10); McVEY traduit : « Who entered Sheol on foot ».
3. Cf. Mc 14, 61; 15, 5.

35. En l'année vingt-neuvième, que Job avec nous
    Remercie, lui qui endura les souffrances[1]
Pour lui-même ; Notre Seigneur, lui, a enduré
    Pour nous crachats et verges,
Épines et clous : bénie soit sa clémence !

36. En l'année qui est la trentième,
    Qu'avec nous remercient les morts rendus à la vie
Par sa mort[2] et les vivants convertis
    Par sa Crucifixion[3], et la Hauteur et la Profondeur
Qui furent pacifiées par lui[4] : qu'avec son Père il soit
                                                            [béni[5] !

Fin des « madrashé » de la Nativité de Notre Seigneur
composés par le Bienheureux Mar Éphrem.
Gloire au Père, au Fils et au Saint-Esprit
maintenant et toujours
et pour les siècles des siècles. Amen !

---

1. Cf. Jb 1-2.
2. Cf. Mt 27, 52.
3. Cf. Mt 27, 54.
4. Cf. Col 1, 20.
5. Les principaux témoins de la tradition manuscrite donnent ici le colophon suivant.

HYMNE XIX

L'hymne s'adresse au Christ ; sa dernière strophe, manifestement prononcée par Marie, laisse aisément déduire qu'il en allait de même pour l'ensemble de la pièce, ce qui permettrait de rattacher opportunément ce *membrum disiectum* du Recueil au groupe constitué par XV-XVII et d'y reconnaître même sa conclusion.

Une énumération de rois, une puissante impression olfactive (str. 1) : ce n'est pourtant pas une chanson de geste qui commence, ni une Orientale, mais plutôt, sur les lèvres de la Fille de Sion qui *conserve tout en son cœur* (Lc 2, 19), une méditation, un *mashal*, une confrontation du passé national et du présent dont elle occupe le centre avec son Fils. L'arrivée des Mages est envisagée comme une sorte de réplique et de compensation providentielle aux dommages causés jadis par Assur et Babylone à Sion (str. 2-6, 10-11). Le dessein d'Éphrem ne serait-il pas alors de nous conduire à la citation textuelle de l'oracle de l'Emmanuel, en l'enchâssant dans son contexte historique immédiat ou plus lointain (str. 5-7) et de faire apparaître ainsi Marie comme l'aboutissement de l'histoire du salut ? L'accomplissement de l'antique prophétie *sur ses genoux* (str. 8-9) lui arrache un cri de stupeur et d'action de grâces.

La stophe 12, en opposant l'humilité de la grotte aux splendeurs de la dynastie davidique, ouvre un second mouvement : à raison de sa *Nature immense* (str. 13 et 18), le Fils est, par simple contact, une source universelle de sanctification et de consécration ; chez lui, dès lors, tout est sans prix : les épines dont on le couronne (str. 13), les pierres qu'on lui lance (str. 14), sa sueur, la poussière de ses vêtements, sa salive (str. 17), les lieux où il passe (str. 16) ; tout tourne à sa gloire (str. 17). Là s'exprime bien sûr une vive conscience du réalisme théandrique, mais aussi, à l'encontre des dualismes de l'heure, l'optimisme qu'inspire habituellement à Éphrem l'ordre de la matière et des corps, perméable à celui de la grâce et de l'Esprit[1].

Après avoir ainsi célébré la récapitulation de l'histoire et la consécration du monde physique, le poème s'achève dans un silence extatique (str. 18-19) ; comme dans l'*Hymne* XV, le poète s'efface derrière Marie pour avouer cette fois que le verbe poétique, étant donné son infirmité radicale, doit trouver dans la prière et l'apophase son support et son épanouissement.

---

1. Cf. P. Yousif, *L'Eucharistie...*, p. 167-169 ; A. de Halleux, *Mar Éphrem théologien*, PO 1973, vol. 4, p. 49-50.

HYMNE XIX

1. Vaincus furent Ozias, Yotham et Achaz[1]
      Dans les batailles par eux livrées ; au lieu de la
                      [Captivité
  Qui descendit en Assur, les Mages à nous sont venus
      En caravanes : sur nos places s'est répandue
  La bonne odeur de leurs épices[2].

  Refrain : Gloire à Toi, Fils du Seigneur universel qui
                      [donnes vie à tous !

2. Parce que du Miséricordieux tu es le Fils, ta Douceur[3]
      Leur a fait grâce ; parce que du Jaloux tu es le Fils,
  Ta force leur a réclamé des comptes ;
      Parce que du Riche tu es le Fils, à proportion de
                    [leur amour[4],
  Ils ont acquitté leurs dettes avec leurs présents.

---

1. Cf. 2 R 15,7-7; 15, 32-38; 16, 1-20 (2 Ch 26-28). Les trois rois sont nommés ensemble au début du Livre d'Is 1, 1.
2. L'évocation des « caravanes » et des « épices » *(bésmūné)* relève d'une association midrachique de l'arrivée des Mages avec Gn 37, 25.
3. Jeu de mots entre *basimūtā* et *bésmūné* de la strophe précédente.
4. McVey, interprétant le suffixe possessif (comme un génitif objectif, traduit : « en raison de ton amour pour eux ».

3. Tu as concilié ces événements de manière à les sauver, eux,
Sans que nous ayons à souffrir ; ils avaient pillé
[notre argent :
Ils ont apporté de l'or ; ils avaient meurtri nos corps :
Ils ont apporté de la myrrhe ; ils avaient incendié
[notre Sanctuaire :
Ils ont offert de l'encens à ta divinité[1].

4. Leur myrrhe intercède pour leurs épées
Avec lesquelles ils nous avaient massacrés ; leur or
[intercède
Pour nos dépôts, car ils avaient pillé les trésors
De la maison d'Ézéchias[2] ; leur encens apaise
Ta divinité, car ils avaient irrité ton Père.

5. Tandis qu'Achaz avait mandé à l'Assyrie :
« Viens à mon secours[3] ! », ceux qui étaient écrasés
Par toi ont été exaltés ; à toi ils sont venus
Avec leurs gages, au lieu de Jéchonias
Qu'ils avaient emmené comme otage de la Maison de
[David[4].

6. À travers ses messagers, Achaz s'était asservi
Lui-même à Assur : par toi ils ont été assujettis

---

1. Marie, parlant ici comme membre du Peuple juif, évoque la venue des Mages, comme une réparation providentielle des dommages causés par les invasions assyriennes qui avaient ravagé Israël sous Tiglat-Phalasar III, Salmanasar, Sargon II et Sennachérib (735-701) ; cf. Is 5, 26-30 ; 2 R 16-18. Certains ont vu là également une allusion d'Éphrem aux incursions perses contre Nisibe (ZINGERLE).
2. Cf. 2 R 18, 14-15.
3. Citation textuelle de 2 R 16, 7 *(Peš)*.
4. Cf. 2 R 24, 10-16 ; Jr 24, 1 ; 27, 20 ; 28, 4.

En (la personne de) leurs messagers ; alors que le sceptre
    Du Lionceau avait fait allégeance[1], c'est à toi,
                    [Adorable,
Qu'ils ont rendu l'hommage, les puissants qui autrefois
                    [l'avaient reçu.

7. À l'assaut étaient montés Aram et Éphraïm ;
    Sion redoutait de devenir veuve
De la Maison de David, car, prenant la fuite, Achaz
    L'avait abandonnée[2]. Mais Isaïe
lui annonça ta bonne nouvelle : « Emmanuel[3] ! »

8. « Voici qu'une vierge, dit-il, concevra et enfantera[4] »
    Sans commerce charnel. Est-ce que je rêve ?
Ou suis-je éveillée ? Voici sur mes genoux
    L'Emmanuel ! Je renonce à tout
Et veux tous les jours remercier le Seigneur universel.

9. Alors qu'on méprisait en Sion les vierges,
    On honore ta Mère, Enfant virginal,
Toi qui as revêtu les signes de la virginité maternelle,
    (au jour) avec toi produits[4] ; tu m'es un enfant,
Un époux, un fils, un Dieu aussi !

10. Les Babyloniens étaient montés, ils avaient frappé
    Les enfants en Juda[5] : par toi les enfants

---

1. En la personne d'Achaz, c'est Juda, le « jeune lion » (cf. Gn 49, 9), qui s'était humilié devant Assur.
2. Circonstances historiques dans lesquelles s'inscrit l'oracle messianique cf. Is 7, 1-9.
3. Cf. Is 7, 14 ; 8, 10 : « Dieu est avec nous ».
4. Is 7, 14.
5. Cf. Lm 2, 11 ; ce sera aussi le sort de Babylone : cf. Ps 137, 9.

Ont retrouvé la paix ; par toi les dévastateurs
    Sont devenus des adorateurs ; ceux qui avaient
                    [outragé les vieillards[1]
ont rendu honneur à l'Enfant qui plus que tout est
                                [Ancien.

11. Babylone avait envoyé aussi des présents
    À Ézéchias ; les messagers s'étaient émerveillés
À la vue de ses trésors[2] ; qu'as-tu montré,
    Toi, aux Mages ? Si grande merveille
Qu'ils t'ont rendu hommage, à toi, si pauvre pourtant !

12. Si grand que soit le palais d'ivoire[3]
    Des rois de notre peuple, plus grande que lui,
Plus belle que lui est la petite grotte
    Où je t'ai mis au monde ; dans les langes
Les bergers ont vu ta gloire !

13. Qu'une petite nature ceigne un diadème,
    Grâce au diadème la voilà qui grandit ; ta Nature,
                    [elle, est grande,
Fils de pauvres, et par toi grandit
    Tout ce qui est petit ; si l'on pose sur ta tête
Des épines, elles lui font comme un diadème.

14. De joyaux un corps vil
    Reçoit un ornement ; par toi, Précieux,

---

1. Cf. Lm 5, 12.
2. Cf. Is 39, 1-2 : L'ambassade de Mérodak-Baladan.
3. Cf. 1 R 10, 18 (le trône de Salomon) ; 1 R 22, 39 (le palais d'Achab) ;
Ps 45, 9.

Même des femmes viles[1] sont devenues pleines
                                    [d'attraits ;
À ton contact, tout est grand : quand bien même
                                    [on te jetterait
Une pierre[2], perle elle deviendrait.

15. Ta sueur même[3] pour qui l'éponge[4]
        Est un baptême ; la poussière de tes vêtements,
    Pour qui est malade, est une source immense
        De bienfaits en tous genres[5] et si ta salive
    Atteint un visage, elle rend aux yeux la lumière[6].

16. Sur une pierre appuies-tu la tête[7] ?
        On s'en arrache les morceaux. T'endors-tu
    Sur un fumier ? Il devient une église
        Pour la prière[8]. Romps-tu
    Un pain ordinaire ? C'est pour nous un remède de vie !

17. À quoi bon te conspuer ? Les outrages mêmes que tu
                                    [reçois
        Sont pour les peuples une bénédiction ! À quoi bon
                                    [te tuer ?

1. Allusion à la pécheresse de Lc 7, 36 s. ; McVey interprète le féminin pluriel comme un neutre et traduit : « worthless (things) ».
2. Cf. Jn 8, 59 ; 10, 31.
3. Cf. Lc 22, 44.
4. « Pour qui l'éponge », si l'on considère que le verbe *ša'wé* est employé ici au Paël. Nous aurions alors une allusion au fameux Christ d'Édesse, à l'Icône et au Voile de Véronique.
5. Cf. Mc 5, 25-34.
6. Cf. Jn 9, 6.
7. Cf. Mt 8, 10.
8. Allusion au culte des reliques et la grande vogue des pèlerinages au IVᵉ siècle. Nous ignorons à quel lieu précis pense Éphrem.

Ta mort même est pour les hommes
Une parole de vie, et lors même que tu montes
Sur une croix, tu es l'Agneau pascal !

18. Trop haute est ta Montagne pour Celle qui t'as
[enfanté ;
Je m'assieds, je me repose ; sois pour moi un havre
Pour qu'en toi je trouve refuge. Nature immense
Qui ne te laisses pas expliquer, permets à ta mère
De garder sur toi le silence, car sa bouche est fatiguée.

19. Retiens les dons de ta cithare ;
Qu'elle s'accorde un peu de répit ! C'est toi qui
[m'as enseigné
Tout ce que j'ai dit ; apprends-moi aussi
À me taire ; c'est toi qui m'as épuisée :
Donne-moi aussi le repos. Gloire à ton Père !

HYMNE XX

Simple fragment dont on peut supposer qu'il appartenait à une sorte de *midrach* chrétien sur Abraham et
Sara, avec un accent particulier sur cette dernière,
attendu que la pièce était vraisemblablement placée elle
aussi sur les lèvres de Marie. Les deux partenaires du
couple patriarcal apparaissent tout orientés vers le
Christ ; c'est à cause de lui que Sara jalouse Ismaël
(str. 1), préfère l'errance à la cour de Pharaon (str. 4) et
patiente quatre-vingt-dix ans avant de devenir mère
(str. 5). Quant à Abraham, seule sera bénie la lignée
qui, de lui, aboutira au Christ : peut-être y a-t-il, dans
l'argumentation des strophes 2 et 3, appuyée sur Ga 3,
16, l'amorce d'une polémique.

HYMNE XX

1. À cause de Toi Sara fut jalouse
      Contre son habitude ; ce n'était pas de la mère de
                             [l'enfant[1]
   Qu'elle était jalouse, là où le sont
      Même de chastes femmes ; c'est de l'esclave[1]
                         [qu'elle était jalouse
   À cause de toi, Fils de libre condition.

Refrain : Que par la Maison de Sara[2] et par les Nations
                        [gloire te soit rendue !

2. En vue de ton Épiphanie, Isaac pria
      Pour son épouse qui loup et agneau
   Tout ensemble enfanta[3] ; preuve qu'il n'y a pas
      Plusieurs semences bénies pour Abraham ;
   Unique est sa semence[4] : Celui qui bénit tout.

---

1. Ismaël : cf. Gn 16, 5.
2. Noter comment Éphrem parle de « Maison de Sara » plutôt que de « Maison d'Abraham » Comme le remarque McVey (n. 463, p. 171), son intention n'est pas tant de donner à Sara plus d'importance qu'à Abraham, que d'insister sur le caractère exclusif de la bénédiction réservée à la progéniture d'Abraham, au « fils de la promesse » : Ismaël n'y a point part.
3. Cf. Gn 25, 21. À la prière d'Isaac, Rébecca met au monde Ésaü (le loup) et Jacob (l'agneau).
4. Cf. Ga 3, 16.

3. Supposons qu'il y ait eu plusieurs semences bénies
   Pour Abraham : voici Ésaü
 Et Ismaël aussi, premiers-nés
   De la Maison d'Abraham; l'exemple de ces deux
              [maudits
 A montré qu'il n'y a qu'une seule semence bénie.

4. C'est toi, Fils de roi, que Sara aimait;
   Elle détesta le roi[1] et le palais royal
 Fut pour elle sans attrait. Avec un exilé[2]
   Elle allait et venait, lui restant attachée
 Parce qu'elle voyait ton Épiphanie en lui cachée.

5. Elle ne trouva point fastidieuses quatre-vingt-dix années[3]
   Dans l'attente de toi! La quatre-vingt-dixième, tu
               [es venu
 Auprès de Sara, et la centième, tu es venu
   Auprès d'Abraham; tu as donné...

---

1. Pharaon : cf. Gn 12, 15.

2. Abraham : cf. Dt 26, 5 : « Mon père était un araméen errant qui descendit en Égypte ». Dans son *Commentaire sur la Genèse*, Éphrem explique que Sara devait se déclarer sœur d'Abraham (Gn, 12, 13) « afin de montrer son amour pour son mari en n'échangeant pas l'exilé pour le roi » (cf. *CSCO* 152, p. 67, 1. 23).

3. Cf. Gn 17, 17.

HYMNE XXI

Avec cette hymne, nous entamons ce qui, dans l'Introduction générale[1], a été reconnu comme le second ensemble adventice (XXI-XXVIII) par rapport au recueil primitif, résultat d'une compilation ultérieure. On gardera bien présent à l'esprit, dans l'analyse des pièces de cette série, le fait que la centonisation y est probable. Elle est certaine dans le cas présent, puisque le manuscrit J a ajouté à notre pièce six strophes (20-25, non traduites ici) empruntées à *HdF*. IV et VII.

La célébration enthousiaste de la Nuit où les anges fraternisent avec les hommes (str. 2-4; 10-11) laisse présumer que cette séquence était destinée à soutenir la ferveur de la vigile festive; mais la composition dispense aussi un important message théologique. Le regard contemplatif s'arrête librement sur plusieurs aspects du mystère : vêture de la divinité (str. 5), inhabitation de la Puissance ordonnatrice de l'univers dans le triple sein de la création, de Marie et du Père (str. 6-8), selon une imagerie qui, comme celle du tissage, relève d'une conception féminine de la divinité, fami-

---

1. Cf. Introduction p. 11.

lière aux premiers Pères syriaques. La strophe 12, centre de gravité de la pièce, énonce la double finalité de l'Incarnation : la ruine de l'idolâtrie et le commerce de l'homme avec Dieu. Une série d'antithèses (str. 14-15) orchestre ensuite le thème de la kénose, puis celui du sein réapparaît avec un parallèle entre la fécondité de Marie et la stérilité d'Élisabeth (str. 16-18).

L'ensemble est ponctué par deux intermèdes de pure jubilation : une séquence litanique (str. 9) et une prière personnelle d'Éphrem (str. 13). À travers trois macarismes enfin, ce dernier esquisse son propre idéal d'hymnographe : devenir *cithare* (str. 4), *demeure de la joie* (str. 9) et *source de mélodie* (str. 13).

HYMNE XXI

(Changement de mélodie[1])

Structure métrique : chaque strophe comporte six vers.

1. De la Naissance du Premier-né, en sa Solennité, parlons !
En son Jour il a offert d'invisibles secours.
Si l'impur[2], en sa fête, en son jour anniversaire,
A donné – cadeau de colère ! – une tête sur un plat,
Combien de bénédictions le Béni accordera
À qui chante pour sa fête !

Refrain : Béni soit Celui qui s'est fait petit sans mesure
Pour nous faire croître sans mesure[3] !

2. Ne comptons pas notre vigile[4] comme une vigile ordinaire :
C'est une fête dont le salaire dépasse cent pour un !
Fête, oui, qui fait la guerre au sommeil avec sa vigile,
Fête éloquente qui guerroie contre le silence avec
[sa voix,

---

1. Ms *N* : « sur l'air Millier de milliers » (début de *HdF.* IV)
2. Hérode : cf. Mc 6, 14-29; même comparaison entre le jour anniversaire d'Hérode et celui de Jésus dans *Nat.* IV, 60-83.
3. Cf. refrain de *Nat.* III ; Éphrem semble appliquer ici à Jésus la déclaration de Jean-Baptiste en Jn 3, 30.
4. Cf. *Nat.* I, 61-81.

Revêtue de toutes grâces, emperière[1] des fêtes
Et de toutes joies[2] !

3. Les anges et les archanges, ce jour-là,
Sont descendus entonner sur terre un nouveau
[Gloria[3] :
Ils descendent en ce mystère[4], avec les vigilants dansent
[de joie.
Au temps de leur doxologie, de blasphèmes (le monde)
[était rempli :
Béni soit l'Enfant par qui le monde retentit
De glorieux Alléluias !

4. C'est la Nuit où les Veilleurs d'en haut[5] aux vigilants
[sont mêlés ;
Il est venu, le Veilleur[6], pour faire des veilleurs dans
[la création ;
voici les vigilants devenus pour les Veilleurs des
[partenaires
et les chantres de louange pour les Séraphins des
[compagnons :
Heureux celui qui est devenu cithare pour te louer,
Celui dont ta miséricorde est le salaire !

5. Pour la Naissance du Premier-né, chantons comment
Dans le sein la Divinité s'est tissé un vêtement;

---

1. Nous empruntons au répertoire du vieux français pour rendre, aussi fidèlement que possible, le *rab ḥaylâ* d'Éphrem, littéralement : « général en chef. ».
2. Cf. *Nat.* IV, 57 s.
3. Cf. Lc 2, 13.
4. *razâ* a ici un sens liturgique : célébration commémoration du mystère salvifique.
5. C'est-à-dire les anges *('iré)* ; cf. *Nat.* I, 61 et note.
6. C'est-à-dire le Christ ; cf. *Nat.* I, 61 et note.

Elle s'en est revêtue pour sortir à la Naissance, à la Mort
[Elle s'en est dépouillée.
Une fois Elle s'en est dépouillée, deux fois Elle s'en est
[revêtue ;
(le vêtement dont la Gauche s'était saisie, (la Divinité) le lui
[a arraché,
À la Droite l'a placé[1].

6. La Puissance qui régit l'univers a habité dans un sein
[resserré ;
Quoiqu'Elle eût là sa demeure, Elle tenait les rênes de
[l'univers ;
Il se tenait à la disposition du Père pour accomplir sa
[volonté ;
De lui les cieux étaient pleins, et toute la création ;
Le Soleil est entré dans le sein, mais dans la Hauteur et
[la Profondeur
Habitaient ses rayons.

7. Il a habité dans les seins spacieux de toute la création :
Ils étaient trop petits pour contenir l'immensité du
[Premier-né ;

---

1. Pour la métaphore du corps-vêtement comme expression de l'Incarnation, cf. *Nat.* IV, 187-188 ; XVI, 11-13; XVII, 4. Le tissage est une activité féminine ; or « *allâhûtâ* » (divinité) est un féminin en syriaque. Les deux vêtures correspondent à la naissance et à la résurrection ; la fin de la strophe évoque la session glorieuse à la droite du Père. Cette strophe est citée par Jacques d'Édesse († 708) dans une lettre au diacre Georges pour répondre à ses questions théologiques. Cf. F. NAU, *Lettre de Jacques d'Édesse au diacre Georges sur une hymne composée par S. Éphrem et citée par S. Jean Maron*, dans *Revue de l'Orient chrétien*, t. 6, 1901, p. 114-131. À cette date, cette hymne avait été maltraitée par les copistes et les théologiens monophysites, puisque dans l'édition de LAMY II, col. 431 faite sur un ms. du Xᵉ siècle, sur 26 strophes, deux sont incomplètes, une interpolée, sept manquent et trois viennent d'un autre recueil.

Comment donc lui a suffi le sein de Marie ?
Merveille s'il lui a suffi ; sinon, quelle perplexité !
De tous les seins qui l'ont contenu, un seul lui suffit :
        Celui du Très Grand qui l'a engendré.

8. Le sein qui l'a contenu est égal, — s'il l'a tout entier
                              [contenu —,
Au Sein merveilleux du Très Grand qui l'a engendré.
Mais qui oserait dire qu'un sein si exigu,
Si faible, si chétif, égale l'immense Entité ?
C'est par miséricorde qu'il y a habité : parce que sa
                            [Nature est immense,
        Elle n'est en rien limitée.

9. Ô Paix réconciliatrice qui aux Nations fut envoyée !
Splendeur[1] jubilante advenue aux enténébrés !
Levain puissant qui as triomphé de tout en silence !
Longanime qui as capturé les créatures une à une !
Heureux celui qui fait habiter ta joie dans son cœur
        Et qui en toi oublie ses souffrances !

10. Jubilante, elle a crié : « Paix[2] ! » la bouche des
                             [Veilleurs !
Il a rencontré les vigilants, l'Évangile par les Veilleurs
                          [aux vigilants apporté !
Qui dormirait en cette Nuit qui tient en éveil
                            [la création[3] ?
Car ils ont annoncé la Paix là où se trouvait la Colère.
Béni soit l'Enfant qui a réconcilié par son silence la
                             [Majesté
        Qu'avaient irritée les diserts.

---

1. Littéralement « Germe » *sémḥā*, titre messianique ; cf. Za 3, 8 et 6, 12.
2. Cf. Lc 2, 14.
3. Cf. *Nat.* I, 61.

11. Les Veilleurs aux veilleurs sont mêlés; ils se
[réjouissent, le monde vit !
Il est confondu, le Mauvais Conseiller[1] qui avait ceint
[un diadème de mensonge ;
Il avait établi son trône comme un dieu sur le monde
[habité[2],
Mais l'Enfant déposé dans une mangeoire a mis à
[bas sa puissance.
Le Soleil a restitué l'adoration : par ses mages il Lui a
[rendu gloire,
Par ses adorateurs il L'a adoré[3].

12. Dieu a vu que nous adorions les créatures :
Il a revêtu un corps créé pour faire, par nos habitudes
[mêmes, notre capture.
Voici que par ce (corps) façonné notre Façonneur nous
[a guéris,
Et que par ce (corps) créé notre Créateur nous a rendu
[la vie !
Ce n'est pas sa contrainte qui nous a gouvernés. Béni
[soit Celui qui est venu en ce qui est nôtre
Pour nous unir à ce qui est à Lui[4]!

13. Ô Grand qui passes toute mesure et qui sans mesure
[T'es fait petit !
De la gloire des gloires[5] à la bassesse Tu as
[condescendu :

---

1. Cf. Gn 3, 5 : « Vous serez comme des dieux. » Nous suivons BECK dans son interprétation de l'Aphel *'amlak*.
2. Cf. Is 14, 12-15; Ez 28, 2 et 15-17.
3. Passage peut-être motivé par une intention polémique contre le culte solaire dans l'Empire perse.
4. Thème du « *commercium* » : cf. *Nat.* VIII, 2; *Virg.* XXXVII, 2.
5. Littéralement : « de la gloire glorieuse ».

Ainsi elle T'a incliné tout entier, cette tendresse qui
[T'habite !
Incline vers moi Ta miséricorde : elle sera glorifiée
[jusqu'en ma vilenie.
Heureux celui qui est devenu source de mélodies,
Qui pour Toi tout entier n'est plus que
« Merci! »

14. Il était esclave sur la terre : là-haut Il était Seigneur.
Il a reçu Hauteur et Profondeur en héritage[1], Lui qui
[s'est fait étranger[2] ;
On t'a jugé de façon inique : Il jugera selon la vérité ;
On Lui a craché au visage[3] : sur le visage Il insuffle
[l'Esprit[4] ;
Lui qui tenait un faible roseau[5], Il est un bâton pour
[le monde
Qui sur Lui, en sa vieillesse, s'appuie.

15. Debout, Il a servi les serviteurs[6] : assis, Il sera adoré ;
Les scribes L'ont outragé : les Séraphins crient
[« Saint ! » devant Lui[7].
Cette gloire qu'Adam voulait secrètement dérober,
Le Serpent l'en a évincé, voyant à quelle hauteur Il
[serait exalté :

1. Cf. Ph 2, 10 ; He 1, 2.
2. Le terme employé ici, transcription du grec ξένος, n'évoque pas le concept marcionite de Christ-Étranger *(nūkrāyā* : cf. *Nat.* XVII, 17-18), mais la condition temporelle du Fils dans sa dimension sociale.
3. Cf. Mt 27, 30.
4. Allusion à la Pentecôte johannique (Jn 20, 22), mais aussi à l'animation d'Adam par le Verbe préexistant (Gn 2, 7 ; cf. *Nat.* XVII, 15).
5. Cf. Mt 27, 29.
6. Cf. Jn 13, 4-5.
7. Cf. *Nat.* XVIII, 6.

Il l'a écrasé par sa fourberie, mais les pieds d'Ève ont
[foulé[1]
Celui qui avait versé le poison dans son ouïe.

16. La femme mariée[2] était stérile et privée de fruits ;
Le sein de Marie, par contre, avait chastement conçu ;
Parmi les champs, quel étonnement ! Parmi les plantes,
[quel émerveillement !
Celle-là ne rendait pas ce qu'elle avait reçu et celle-ci,
[sans avoir emprunté rendait son don.
Nature s'est avouée vaincue : le sein (de la stérile) la
[décevait tandis que la payait de retour
Celle qui d'elle n'avait rien reçu.

17. Marie par Élizabeth au jugement fut justifiée ;
La stérilité a prouvé que le Bon Plaisir, capable
De fermer la porte ouverte, l'était aussi d'ouvrir la
[porte fermée.
Il a privé (d'enfants) le sein de la femme mariée et le
[sein de la Vierge, Il l'a fait fructifier
Parce que le Peuple avait apostasié, Il a fait de la
[femme mariée
Une (porte) close en face de la Toute-Pure.

18. Celui qui est capable d'humecter les seins stériles et
[morts
– Il les tarit en leur jouvence et les irrigue en leur
[vieillesse ! –

---

1. Cf. Gn 3, 5 ; *Nat.* XIII, 2, XXII, 31.
2. Élisabeth : cf. Lc 1, 7. Dans cette strophe, Éphrem oppose la stérilité d'Élisabeth à la fécondité miraculeuse de Marie en usant de la même métaphore agricole : la semence empruntée à la Nature et confiée à la terre qui doit porter son fruit comme un dû.

A changé la nature et lui a fait violence à temps et à
[contretemps ;
Le Seigneur des natures a changé la nature de la
[Vierge ;
Parce que le Peuple était stérile, il a fait de la vieille
[femme
Une bouche (éloquente) en faveur de la
[jeune fille.

19. Et comme il avait commencé à la naissance, il a
[poursuivi, et par la mort il finit.
Sa naissance a reçu l'adoration, sa mort de la dette
[a fait réparation ;
Comme il était venu pour la naissance et comme les
[Mages l'avaient adoré[1],
De même il est venu pour la souffrance et le larron en
[lui s'est réfugié[2];
Entre sa naissance et sa mort, il a mis le monde au
[milieu :
Par la naissance et par la mort il lui a donné la vie.

---

1. Cf. Mt 2, 11.
2. Cf. Lc 23, 42.

HYMNE XXII

Une longue *berakah* en forme de poème acrostiche, de façon assez libre au demeurant, puisque plusieurs strophes se trouvent affectées parfois à une même lettre, ce qui constituerait l'indice d'une éventuelle centonisation.

La cohésion thématique ne fait pourtant aucun doute. Il s'agit pour l'essentiel, après un invitatoire (str. 1-2), d'une action de grâce pour la victoire du Christ sur l'idolâtrie (str. 3-37). Éphrem retrace la genèse du phénomène idolâtrique et en caractérise les aspects : maladie (str. 3) ; perversion de l'ordre naturel (str.11) ; erreur (str. 15 et 32) ; ruse du Malin (str. 17 et 30) ; règne du péché (str. 19 et 33) universellement répandu (str. 25). Plus fondamentalement encore, l'idolâtrie exerce sur les créatures auxquelles elle est vouée une subtile et intolérable violence. Parmi les « victimes » de l'adoration sacrilège ici énumérés, deux groupes se dessinent : les astres (str. 7, 10-12) et le feu (str. 13-14) d'une part, et nous discernons ici une intention polémique contre le paganisme de l'empire perse ; l'or, l'encens et la myrrhe (str. 26-29) d'autre part, qui rattachent le poème à l'épisode des Mages et l'inscrivent par là nettement dans le cycle noëlique.

La strophe 16 représente sans doute le pivot théologique de l'ensemble. Dans sa pédagogie, Dieu a usé d'un stratagème pour nous libérer de l'idolâtrie : voyant notre propension au culte des corps, il a assumé lui-même un corps afin de concentrer sur lui-même, le *seul Adorable*, l'instinct d'adoration. C'était là le point de départ de toute une économie historique de rééducation (str. 20-21 : image du chemin).

Une prière personnelle d'Éphrem (str .38) et une doxologie (str. 41) enchâssent la conclusion de la pièce.

HYMNE XXII

(Changement de mélodie[1])

Structure métrique : chaque strophe est composée de trois vers de six plus six sylla-
bes et d'un vers de six syllabes faisant office de répons.

Alaph   Peuples, louez en cette fête le Premier-né de toutes
                                      [fêtes[2] ;
      Racontez les souffrances qui jadis eurent lieu, et les
                          [blessures et les douleurs,
      Que nous sachions de quelle maladie nous a guéris
                         [l'Enfant, l'Envoyé :
      Béni soit-il ! Pour nos douleurs ce fut assez.

     Refrain : Béni soit-il par tous en sa Nativité !

Alaph   Peuples rachetés, louez le Rédempteur de tous en sa
                                   [Nativité ;
      Ma pauvre langue même est devenue cithare dans la
                             [Tendresse !
      Chantons du Premier-né les exploits en sa Fête !
      Béni soit-il de nous avoir rendus dignes de le fêter !

---

1. Le manuscrit *N* ajoute: « J'élèverai la voix et je crierai. »
2. *Nat.* IV, 28.

3. *Alaph*   Comment pourrait-on admirer un médecin
Qui n'écoute ni n'apprend quelles sont les maladies ?
Quand de notre blessure fut faite proclamation, alors
[notre Médecin a grandi.
Béni soit Celui qui s'est illustré par nos maladies !

4. *Beth*   Les créatures étaient adorées, car l'adorateur, en sa
[folie,
Adorait n'importe quoi : pour un Seul il n'y avait pas
[d'adoration !
Le Miséricordieux est descendu ; il a brisé le joug qui
[tenait tout homme asservi.
Béni soit Celui qui du joug nous a détachés !

5. *Gâmal*   La miséricorde du Très-Haut s'est révélée, il est
[descendu libérer sa création
En ce mois béni où s'accomplit la libération[1] ;
Le Seigneur est venu à la servitude pour appeler les
[esclaves à la liberté.
Béni soit Celui par qui la libération fut apportée !

6. *Gâmal*   Le Seigneur des Mois s'est choisi deux Mois pour ses
[grandes actions :
En Nisan eut lieu sa conception, en Kanoun[2] sa
[naissance ;

---

1. À quel mois Éphrem pense-t-il ? La suggestion de Beck (jour des Expiations au septième mois, cf. Lv 25. 9 s.) paraît difficilement conciliable avec la fête de Noël-Épiphanie ; il s'agirait plutôt, selon McVey d'un affranchissement attaché à cette fête liturgique, tel que l'Église elle-même pouvait en prendre l'initiative dans l'Empire devenu chrétien, depuis les édits constantiniens de 316 et 323 (*manumissio in Ecclesia*).

2. *Nisan* : avril ; *Kanūn* : janvier, cf. *Nat.* IV, 31-32.

En Nisan il a sanctifié les enfants conçus[1], en Kanoun
                    [il a libéré les nouveaux-nés.
Béni soit Celui qui par ses Mois nous a réjouis !

Gâmal Le soleil en silence protestait devant son Seigneur
                    [contre ceux qui l'idolâtraient.
Comme il souffrait, le serviteur, d'être adoré à la place
                    [de son Seigneur !
Voici la création en liesse, car le Créateur est adoré :
Béni soit l'adorable Nouveau-Né !

Gâmal Trois Mois ont fait une tresse et d'exploits l'ont
                    [couronné :
Le Béni a servi sa Nativité, le Désiré sa Résurrection
Et le Réjoui son Ascension ; à son couronnement les
                    [Mois ont contribué :
Béni soit Celui qui a fait en ses Mois[2] prouesse !

Gâmal Épanouis ton visage, ô Création, rayonne en notre Fête !
Qu'à haute voix chante l'Église, en silence le ciel et la
                    [terre[3] !
Chantez, remerciez l'Enfant qui apporte la commune
                    [libération :
Béni soit Celui qui a déchiré la cédule de nos dettes !

---

1. Il n'est pas impossible qu'Éphrem pense ici à Jean-Baptiste, l'épisode de
la Visitation se situant six mois après son annonciation à Zacharie, laquelle
eut lieu, pour Éphrem, au mois de *Tishri* (octobre).
2. L'évocation conjointe des mois de l'année, du soleil et de la couronne
dans les strophes 6-8 n'est pas indifférente : autant d'éléments d'une même
symbolique judéo-chrétienne dont J. DANIÉLOU a recherché les attaches
complexes : cf. *Les symboles chrétiens primitifs*, chap. VIII, p. 131 s. Les trois
fêtes de la Nativité, de la Résurrection et de l'Ascension étaient déjà asso-
ciées par *Nat.* IV, 57 s.
3. Cf. Col 2, 14.

10. *Dālath* Ils rendaient un culte au soleil, les insensés, et par cet
[honneur lui faisaient injure.
Maintenant qu'ils le savent serviteur, par sa course
[son Seigneur est adoré.
Quelle joie pour tous les serviteurs de se voir comme
[serviteurs comptés !
Béni soit Celui qui a mis en ordre les natures !

11. *Hé* Nous avons tout perverti en devenant serviteurs d'un
[serviteur ;
Voilà comment notre indépendance a contraint le
[serviteur à devenir notre Seigneur !
Du soleil, serviteur commun, nous avons fait notre
[commun Seigneur !
Béni soit Celui qui nous a ramenés à lui !

12. *Waw* La lune, adorée elle aussi, fut libérée par sa
[Naissance ;
Chose étonnante : par la lumière qui devait éclairer les
[yeux,
Les yeux étaient obscurcis, car on la regardait comme
[un dieu !
Béni soit le Rayon qui nous a éblouis !

13. *Zaïn* Le feu est redevable à ta Naissance qui a écarté de lui
[l'adoration ;
Les Mages l'adoraient, eux qui se sont prosternés
[devant toi ;
Ils ont abandonné le feu pour adorer son Seigneur, ils
[ont échangé le feu contre le Feu.
Béni soit Celui qui nous a baptisés dans sa lumière[1] !

---

1. *Nūhrâ* (lumière) ; on attendait plus volontiers *Nūrâ* (feu) comme dans le
dernier vers de la strophe suivante et dans la ligne de Mt 3, 11 ; voir cependant *HdF.* VII, 3 et *Sogh* V, 39.

Ieth   À la place du feu stupide qui dévore son propre corps,
       Les Mages ont adoré le Feu qui donne son Corps pour
               [qu'on le mange ;
       Approchée de nos lèvres impures, la Braise les a
               [sanctifiées[1].
       Béni soit Celui dont le feu en nous s'est immiscé[2] !

Teth   L'Erreur aveuglait l'humanité pour qu'elle adorât les
               [créatures ;
       Aux compagnons allait le culte, au Seigneur de
               [l'univers l'injure !
       L'Adorable est descendu pour naître, attirant à lui,
               [l'hommage :
       Béni soit Celui qui par tous est adoré !

Youd[h]   Celui qui sait tout a vu que nous adorions les
               [créatures :
       D'un corps créé il s'est vêtu pour faire, par nos
               [habitudes mêmes, notre capture,
       Pour nous attirer au Créateur par le moyen d'un corps
               [créé :
       Béni soit Celui qui par ruse nous a attirés !

Youd[h]   Le Malin s'y connaissait pour nous nuire.
       Par les luminaires il nous a aveuglés ;
       Par les richesses il nous a fait du tort ; par l'or il nous
               [a rendus pauvres

---

1. Cf. Is 6, 5-7 ; *HdF.* X, 9-10 ; sur cette métaphore eucharistique de la braise fondée sur le texte d'Isaïe, voir P. YOUSIF, *L'Eucharistie...*, p. 93-95.

2. Dans la tradition syrienne, le feu est une image privilégiée de l'Esprit-Saint et de son rôle dans l'épiclèse sacramentelle, voir à ce sujet E. P. SIMAN, *L'expérience de l'Esprit par l'Église d'après la tradition syrienne d'Antioche,* p. 222 s. Par la communion eucharistique, le feu de la divinité s'immisce dans l'homme.

Et par les idoles sculptées il nous a fait un cœur de
[pierre[1].
Béni soit Celui qui est venu l'adoucir !

18. *Kâph*   Ils avaient sculpté des pierres et les avaient dressées
[pour qu'y trébuche le genre humain ;
Ils les avaient placées sur les chemins pour qu'y
[achoppent les aveugles ;
Ils les avaient appelées « dieux[2] » pour qu'y achoppent
[les clairvoyants !
Béni soit Celui qui a démasqué les (faux dieux)
[terrifiants !

19. *Kâph*   Déployant ses ailes, le péché recouvrait tout,
De sorte que l'homme ne pouvait pas contempler
[au-dessus de lui la Vérité.
Dans un sein la Vérité est descendue, pour déloger
[l'Erreur elle est sortie !
Béni soit Celui qui, par sa Naissance, l'a
[débusquée !

20. *Lâmadʰ*   Car il ne pouvait tolérer, le Miséricordieux, de voir
[que l'on obstruait son chemin.
En descendant pour la Conception, il a ouvert le
[chemin quelque peu ;
En sortant pour la Naissance il l'a frayé, il y a fixé des
[jalons :
Béni soit la paix de ton chemin[3]!

---

1. Cf. Ez 11, 19 ; 36, 26.
2. Évocation comparable de l'illusion idolâtrique en *Eccl.* XXXVII, 6.
3. Cf. Is 35, 8-10 ; Lc 1, 79.

. *Lâmad*[h] Il a choisi les Prophètes : ils ont dégagé le chemin pour
[le Peuple ;
Il a envoyé les Apôtres : ils ont aplani le sentier pour
[les nations ;
Pour les pierres d'achoppement du Malin, confusion,
[car de faibles gens les ont enlevées.
Béni soit Celui qui a rendu praticables nos sentiers !

. *Mim* Les idoles causaient, invisiblement, la cécité de ceux
[qui les sculptaient :
Ils sculptaient un œil à une pierre, et les yeux de leur
[âme s'aveuglaient !
Louange à la Naissance qui a ouvert (les yeux) des
[voyants aveugles :
Béni soit Celui qui a rétabli le moyen de voir !

. *Nūn* Que les femmes remercient la pure Marie,
Car en Ève leur Mère grand fut leur déboire,
Mais en Marie leur Sœur a grandi leur victoire :
Béni soit Celui qui d'entre elles est sorti !

. *Nūn* Que les Nations remercient ta Naissance, car elles ont
[acquis des yeux pour voir.
Il leur a fait cuver leur vin et elles ont vu leur propre
[abjection ;
Elles-mêmes se jugent et vouent à leur libérateur
[l'adoration !
Béni soit Celui qui enseigne la pénitence !

Semkat[h] En tout lieu l'humanité avait répandu son adoration ;
À l'Adorable elle ne cherchait pas à présenter
[l'adoration,
Mais les adorés ne pouvaient souffrir des adorateurs
[égarés :
Béni soit Celui qui descendit et fut adoré !

26. *Semkat*[h]   L'or des idoles t'a adoré : tu en as fait des aumônes ;
Inutile à des morts, il sert à l'usage des vivants ;
Il se hâte vers ton coffre[1] comme il s'est hâté vers ta
[crèche :
Béni soit Celui que la création a aimé !

27. *Semkat*[h]   L'encens qui servait au culte des démons a entouré ta
[Naissance d'adoration ;
Il était tout noir en son effluve : il a dansé de joie en
[voyant son Seigneur !
À la place de l'encensoir d'Erreur, devant Dieu[2] on l'a
[présenté :
Béni soit ta Naissance qui fut adorée !

28. *Semkat*[h]   La myrrhe[3] t'a adoré ; pour son propre compte et pour
[celui des baumes de sa parente[4] ;
Ils avaient empesté les idoles sordides en les oignant
[de leurs huiles ;
Grâce à toi se dégage la fragrance des arômes, grâce à
[l'huile dont t'a oint Marie :
Béni soit ton parfum qui nous a embaumés !

29. *Semkat*[h]   L'or t'a adoré, lui (jadis) adoré, quand l'apportèrent les
[Mages ;
Adoré dans les idoles fondues, il t'a offert l'adoration ;
Il t'a adoré avec ses adorateurs, il a confessé que c'est toi
[l'Adorable.
Béni soit Celui qui a exigé qu'on lui rendît hommage !

---

1. D'après BECK, Éphrem penserait peut-être à des collectes faites au profit des églises d'Édesse ou de Nisibe.
2. C'est-à-dire l'Enfant de la crèche.
3. Même séquence or-encens-myrrhe qu'en Mt 2, 11.
4. Cf. Jn 12, 1-8.

Aïn Le Malin s'est enfui avec ses armées ; il s'ébaudissait
[par le monde ;
Sur les hauts lieux on lui sacrifiait un veau ; dans les
[jardins on lui immolait un taureau[1] ;
Il engloutissait toute la création, son ventre était plein
[de déprédation :
Béni soit Celui qui est venu le dépouiller !

Aïn De lui Notre Seigneur avait dit : « Du ciel il tombera [2] ;
Il s'exaltera, le Répugnant[3], (mais) de sa hauteur il
[choira ».
Le pied de Marie l'a écrasé, lui qui avait meurtri Ève au
[talon[4] :
Béni soit Celui qui l'a humilié par sa Naissance !

Pé Les Chaldéens allaient partout, errants et fauteurs
[d'égarements ;
Les hérauts de l'Erreur à travers le monde ont été
[confondus,
Réduits au silence et vaincus par les hérauts de la
[Vérité :
Béni soit l' Enfant qui fut annoncé !

Pé Le Péché avait étendu ses filets pour la capture ;
Louange à ta Naissance qui a déchiré les filets de
[l'Erreur !

1. Cf. Os 4, 13 ; Is. 1, 29 ; 66, 17.
2. Cf. Lc 10, 18.
3. Le texte de cet hémistiche fait difficulté, nous suivons l'interprétation de McVey.
4. Cf. Gn 3, 15, avec un infléchissement mariologique très net de la teneur originale du texte : cf. Beck, *Mariologie*, p. 30.

L'âme là-haut s'est envolée, qui en bas était
[pourchassée[1] :
Béni soit Celui qui nous a nantis d'un pennage !

34. *Ṣâdé*   Son Bon Plaisir eût été capable d'employer la
[contrainte pour nous libérer,
Mais comme ce n'était pas la contrainte qui nous avait
[rendus coupables,
Ce n'est pas par la contrainte qu'il nous a justifiés.
Le Malin par ruse nous avait asservis : ta Naissance
[est une ruse qui nous rend la vie !
Béni soit Celui qui s'est ingénié à nous rendre la vie !

35. *Qoph*   Les créatures se plaignaient d'être adorées et
[réclamaient en silence la liberté.
Le Libérateur universel a entendu, sans
[patienter(davantage) il est descendu ;
D'un (corps) servile dans le sein il s'est revêtu, il en est
[sorti pour libérer la création !
Béni soit Celui qui s'est gagné la création !

36. *Riš*   Là-haut la Tendresse a frémi à la voix des créatures qui
[en appelaient à son instance ;
Gabriel fut envoyé[2], il vint annoncer la Conception ;
Quand tu fus près de la Naissance, les Veilleurs
[annoncèrent ta sortie[3] !
Bénie soit par tous ta religion !

---

1. Dans le binôme Hauteur-Profondeur utilisé ici, BECK voit l'émergence d'une idée gnostique ; l'image du filet déchiré et de l'oiseau libéré est en tout cas biblique : cf. Ps 124, 7.
2. Cf. Lc 1, 26.
3. Cf. Lc 2, 13-14.

7. *Riš*   Plus grande est la joie de la naissance[1] que celle de la
                                 [conception :
            Aussi un seul ange nous a-t-il annoncé ta Conception,
            Mais la joie de ta Naissance, les Veilleurs l'ont
                          [annoncée par légions !
            Béni soit en ton Jour ton annonciation !

8. *Šin*   En ton Jour, moi aussi, gloire je te rendrai ;
            Reçois de moi le fruit qui est mien et donne-moi la
                        [miséricorde qui t'appartient.
            Si je te donne, moi qui suis mauvais, combien plus me
                      [donneras-tu, toi qui es bon[2] !
            Bénie soit ta richesse en ton serviteur !

9. *Tau*   Les deux choses que tu avais demandées[3] en ta
                      [Naissance nous sont dévolues ;
            De notre corps visible tu t'es revêtu et nous avons
                      [revêtu ta Puissance cachée ;
            Notre corps est devenu ton habit, et notre robe, c'est
                      [ton Esprit :
            Béni soit Celui qui s'est paré et nous a parés !

10. *Tau*   Hauteur et Profondeur s'étonnent : ta Naissance a
                      [subjugué les rebelles.

---

1. Cf. Lc 1, 14 ; Jn 16, 21.

2. Cf. Mt 7, 11.

3. Avec un manuscrit, Beck interprète: « que nous avions demandées ».
Mais si la deuxième personne représente le texte authentique, il y aurait là
une allusion à la prière de Jésus lors du Discours d'adieu (Jn 17). Éphrem
exprime magnifiquement l'objet de cette prière, la parfaite communion avec
Dieu et la divinisation de l'homme, par l'image de la vêture réciproque.

Nous t'avions donné des otages[1] : tu nous as donné le
[Paraclet ;
De chez nous des otages étaient montés : vers nous le
[Capitaine[2] est descendu.
Béni soit Celui qui a reçu et qui a envoyé !

41. *Tau*   Toutes les bouches, venez ! Apprêtez-vous et
[ressemblez
À des sources, à des puits de chants[3] ! Que vienne
[l'Esprit de vérité,
Qu'Il chante en nous tous doxologie au Père qui par
[son Fils nous a rachetés !
Qu'Il soit béni par tous en sa Nativité !

---

1. La strophe poursuit sur le thème de l'échange et de la réciprocité ; il s'agit cette fois de l'échange entre l'humanité glorifiée du Christ qui remonte au ciel et l'Esprit qui descend sur les hommes ; les « otages » *(hᶜmayré)* désignent le corps et l'âme du Christ, selon une image que l'on trouve déjà chez APHRAATE : « Daniel fut emmené comme otage à la place de son peuple : le corps de Jésus est un otage pour tous les peuples » *(Dém.* XXI, 18 *(SC* 359), p. 832-833). « En venant, Il a reçu de nous des otages [...] Réjouissons-nous donc de l'otage qu'Il nous a ravi et qu'Il a fait siéger dans la gloire avec le Roi glorieux ! » *(Dém.* XXIII, 50 *(SC* 359), p. 932-933*) ;* M. J. Pierre traduit « caution ».

2. *Rab ḥaylé,* ce titre militaire désigne l'Esprit Saint ; BECK conserve la teneur primitive de l'image en traduisant par *Herrführer.* La traduction de McVEY (great power) l'estompe, mais suggère un substrat scripturaire tel que Ac 1, 8.

3. Même métaphore en *Nat.* XXI, 13.

HYMNE XXIII

Je ne veux pas scruter ta Majesté, mais annoncer ta Bonté (str. 1). Au-delà de la polémique anti-arienne, une confession se fait jour, qui paraît résumer toute la « diaconie » du poète-théologien. Tournant le dos à l'investigation profanatrice de l'essence divine, Éphrem a choisi l'étonnement (str. 2 et 11) et l'action de grâces (str. 14). Il a choisi aussi, pour ainsi dire, entre les attributs divins, car si la *Majesté* est invisible et par conséquent indicible, la *Bonté*, manifestée dans l'Incarnation, relève quant à elle du dire poétique (str. 3).

Cette manifestation est évoquée tour à tour comme limitation paradoxale de l'Incommensurable (str. 2 et 11); kénose volontaire (les str. 3-4 opposent au couple *Nature-Majesté* la trilogie *Bonté-Amour-Volonté*); source d'espérance (str. 6); don total que le Père fait de son Fils envoyé en service (str. 8); succession de dépouillements et de vêtures (str. 4, 12-13).

Au centre de la composition s'inscrivent quelques strophes (str. 5, 7, 9-10) d'un intérêt majeur quant à la conception qu'Éphrem se fait de la liturgie. Fidèle à son appréhension volontiers « féminine » des choses, il reconnaît au mystère de Noël (*Naissance*) et à sa célébration ecclésiale (*Jour*) une sorte de maternité. À l'étrange hostilité des contemporains de l'événement historique (str. 10), s'oppose la joie des liturges, puisque aussi bien la foi seule rend vraiment contemporain du mystère.

Par son insistance à évoquer de manière synthétique les étapes de la mission du Christ, la pièce constitue un spécimen remarquable de cette conception totalisante que l'Orient chrétien se fait de l'Économie du salut, dans sa réflexion théologique comme dans sa liturgie. Doxologie communautaire du Mystère intégral : voilà l'intention d'ensemble que souligne le refrain dont la traduction désespère de rendre la concision originale :
Gloire à Toi tout entier de par nous tous !

HYMNE XXIII

(Changement de mélodie)

Structure métrique : Chaque strophe est composée de dix membres de sept sylla-bes dont le dernier a la forme d'un refrain ; le refrain inscrit en tête de l'hymne n'est autre que le dernier membre de la dernière strophe.

1. Qui donc, étant mortel,
  Pourrait narrer le Vivificateur universel ?
 Il a laissé les hauteurs de sa majesté,
  À la petitesse il s'est abaissé ;
 Il fait tout croître en sa Naissance ;
  Qu'à mon esprit débile il donne croissance,
 Pour que je narre sa Naissance :
  Non que je scrute ta Majesté,
 Mais que j'annonce ta Bonté :
  Béni soit Celui qui dans sa geste est occulte et
                                   [révélateur !

Refrain : Gloire à toi tout entier de par nous tous !

2. Grande merveille que le Fils,
  Habitant tout entier dans un corps,
 L'ait habité tout entier et qu'il en fût satisfait !
  Il l'a habité, sans être pourtant limité ;
 Son Bon Plaisir tout entier était en lui,
  Mais la totalité de ses dimensions[1] n'était pas en lui ;

---

1. *kʰuléh sâkʰéh* ; BECK traduit : « seine volle Gesamtheit ». Éphrem veut dire

Qui saurait dire
> Comment, bien qu'il habitât tout entier dans un
> > [corps,
> Il habitait tout entier dans l'univers encore ?
> > Béni soit l'Illimité qui en des limites fut borné !

3. Loin de nous est cachée ta Majesté,
> Devant nous manifestée ta Bonté.
> Je me tairai, mon Seigneur, sur ta Majesté,
> > Mais je parlerai sur ta Bonté ;
> Ta Bonté t'a empoigné,
> > Elle t'a incliné vers notre vilenie ;
> Ta Bonté a fait de toi un tout petit,
> > Ta Bonté a fait de toi un homme ;
> La Majesté s'est rétrécie, dilatée :
> > Bénie soit la Puissance qui, rapetissée, a grandi !

4. Gloire à Celui qui s'est fait d'en bas,
> Quoique d'en haut par nature !
> Il est devenu par amour premier-né de Marie[1],
> > Quoique Premier-né de la Divinité[2] ;
> Il est devenu nominalement fils de Joseph[3],
> > Quoique Fils du Très-Haut[4] ;

---

que la nature divine du Verbe n'est pas circonscrite dans le corps qu'elle assume ; la présence de « complaisance » *(ṣébʰyânâ)* dont parle Éphrem ne doit pas être interprétée comme la présence de la christologie nestorienne condamnée par le Concile d'Éphèse ; l'expression d'Éphrem témoigne pourtant d'une approche du mystère familière à la théologie antiochienne.

1. Cf. Lc 2, 7
2. Cf. He 1, 6 ; Col 1, 15.
3. Cf. Lc 3, 23 ; Jn 1, 45.
4. Cf. Lc 1, 32.

Il est devenu volontairement fils d'homme,
  Quoique naturellement Fils de Dieu ;
Glorieuses, ta Volonté et ta Nature !
  Béni soit ta Gloire qui de notre image fit sa vêture !

5. Ta Naissance, mon Seigneur, elle aussi,
    Est devenue pour les créatures une mère :
  De nouveau elle a conçu, enfanté
    L'humanité qui t'a enfanté ;
  Elle t'a enfanté selon la chair :
    Tu l'as mise au monde selon l'Esprit ;
  C'était là tout ton but en venant à la naissance :
    Enfanter l'homme à ta ressemblance.
  Ton enfantement a enfanté l'univers :
    Béni soit Celui qui s'est fait jeune et a tout
                          [rajeuni[1] !

6. L'espérance de l'homme était anéantie :
    Avec ta Naissance l'espérance a grandi ;
  Bienheureuse espérance annoncèrent
    Aux humains les Êtres Supérieurs[2] ;
  Satan qui avait brisé notre espérance,
    A brisé la sienne de ses propres mains
  En voyant que l'espérance avait grandi ;
    Pour les sans-espérance[3] ta Naissance est devenue
  Source d'où l'espérance jaillit :
    Béni soit l'espérance qui a apporté nouvelle de
                          [bonheur !

---

1. Par-delà la mort et la résurrection du Christ, c'est à sa naissance déjà qu'Éphrem rapporte la causalité de la « nouvelle naissance » que constitue le baptême (cf. Jn 3, 5, sous-jacent à cette strophe), tant demeure profondément une pour lui l'économie salvifique.
2. Cf. Lc 2, 14 ; Tit 2, 13.
3. Cf. Ep. 2, 12.

7. Le Jour de ton Noël te ressemble[1],
        Aimable et charmant comme toi ;
    Nous qui n'avons pas vu ta Naissance,
        Nous l'aimons comme si nous en étions
                                contemporains ;
    En ton Jour nous t'avons contemplé ;
        Car (ce jour) est un enfant comme toi[2],
    De tous les hommes bien aimé ;
        Voici qu'en lui de joie les Églises dansent !
    Ton Jour ornemente et il est ornementé :
        Béni soit ton jour qui pour nous fut fait !

8. Ton Jour nous a fait un présent
        Comme le Père n'en fit jamais.
    Il ne nous a pas envoyé de Séraphins ;
        Jusqu'à nous ne sont pas descendus les
                                [Chérubins[3] ;
    Ils ne sont pas venus, les Veilleurs du Service[4],
        Mais le Premier-né est entré en service !
    Qui pourrait suffire à remercier
        L'incommensurable Majesté
    Qui dans une vile crèche reposait ?
        Béni soit Celui qui nous a donné tout ce qu'il
                                [possédait !

---

1. Cf. *Nat.* IV, 2.
2. Nous suivons ici l'interprétation de BECK ; MCVEY traduit assez librement : « Nous T'avons vu en Ton Jour, tout comme si Tu étais un bébé ».
3. Cf. Is 63, 9 ; He 2, 16.
4. *'iré šammâšé* : nous traduisons ainsi pour souligner la parenté avec une expression usuelle de l'angélologie rabbinique.

9. Cette génération-là, ta Naissance l'a réjouie,

   Mais notre génération, c'est ton Jour qui l'a réjouie ;

Double était le bonheur de cette génération-là,

   Car elle a vu ta Naissance et ton Jour également ;

Plus petit le bonheur des derniers venus,

   Car ils voient le jour de ta Naissance seulement ;

Mais parce que ceux qui étaient proches ont douté,

   Le bonheur des derniers venus a grandi,

Car sans te voir en toi ils ont cru[1] :

   Béni soit le bonheur qui nous fut ajouté !

10. De loin les Mages ont exulté,

   De près les scribes ont proclamé ;

Le prophète a présenté son texte à lire,

   Hérode, lui, sa fureur ;

Les scribes ont exposé des commentaires,

   Les Mages des présents[2] ;

Chose étonnante : contre un seul petit enfant,

   Se précipitent avec des glaives les gens de sa
                                    [maison[3],

   Tandis que des étrangers accourent avec des présents !

   Béni soit ta Naissance qui a bouleversé l'univers !

11. Le sein de Marie m'a plongé dans l'étonnement :

   Qu'à te contenir, mon Seigneur, il ait suffi !...

Trop petite était toute la création

   Pour cacher ta Majesté ;

La terre et le ciel trop étroits

   Pour envelopper, semblables à des bras,

Ta divinité ;

---

1. Cf. Jn 20, 29. Pour Éphrem, c'est la foi et l'amour qui instaurent la véritable proximité et la véritable contemporanéité avec le mystère du Fils incarné : comparer avec *Nat.* VI, 5-6.

2. Le début de cette strophe résume Mt 2, 1-16.

3. Cf. Jn 1, 11.

Trop petit pour toi le sein de la terre
Et assez grand pour toi le sein de Marie !
Il a habité le sein et il a guéri avec la frange de son
[vêtement[1] !

12. Il s'est enveloppé de langes méprisables et on lui a
[offert des cadeaux ;
Il a revêtu des habits en son adolescence et il en est
[sorti des bienfaits ;
À son baptême il a revêtu les eaux
Et des éclairs en ont fulguré[2] ;

---

1. Cf. Mt 9, 20-22 ; Lc 8, 43-48. Éphrem joue dans cette strophe sur la polysémie de *kénp^hâ* : sein, giron, bras, frange d'un vêtement.

2. La mention de la lumière sur le Jourdain au moment du baptême du Christ s'appuie sur une amplification apocryphe de Mt 3, 15 dont la *Vetus latina* porte la trace : « Et tandis qu'il était baptisé, une lumière intense se répandit hors de l'eau. » Cf. ÉPHREM, *Commentaire de l'Évangile concordant ou Diatessaron* (SC 121), p. 95 ; *Epiph.* 10, 5 ; *Sogh.* 5, 39 et 48. — Plus rare est la mention du feu : voir JUSTIN, *Dialogue avec Tryphon*, 88 : « Tandis qu'il descendait dans l'eau, du feu même s'alluma dans le Jourdain. » ÉPHREM, *HdF.* 10, 17 : » Regarde, feu et esprit dans le fleuve en qui tu as été baptisé. » Cf. S. P. BROCK, *L'œil de lumière*, Bellefontaine 1991, p. 110, n. 1, renvoie à H. J. W. DRIJVERS et G. J. REININK, *Taufe und Zicht* dans *Test and Testimony. Essays in honour of A. F. J. KLIJN*, Kampen 1988, p. 91-110 ; C. D. EDSMAN, *Le baptême de feu*, Upsala 1940, p. 182-189. — Jacques de Saroug développe abondamment ce thème des flammes sur les eaux du Jourdain ; cf. P. BEDJAN, *Homiliae selectae Mar-Jacobi Sarugensis*, Paris 1905, t. 1, p. 167-193, surtout p. 174, distique 69-72 : « Son feu pénètre dans la masse des eaux avant qu'il y descende, comme forcé par les flammes, le fleuve est en ébullition. » Notre passage d'Éphrem, avec la lumière et le vêtement des eaux, contient déjà les grands traits de l'icône du Baptême du Seigneur dans la tradition byzantine : cf. P. EVDOKIMOV, *L'art de l'icône. Théologie de la beauté*, 1970, p. 244-247.

À sa mort il a revêtu des bandelettes de lin
    Et des victoires s'y sont montrées ;
Avec ses humiliations vont de pair ses exaltations :
    Béni soit Celui qui a joint sa gloire à ses
                                          [souffrances !

13. Tout cela, c'étaient métamorphoses[1],
        Dépouillements et revêtements du Miséricordieux
    Qui s'ingéniait à revêtir Adam
        De la gloire dont il s'était dépouillé.
    Il s'est enveloppé de langes au lieu de feuilles[2],
        Il s'est revêtu d'habits au lieu de la tunique de peau[3] ;
    À cause du péché d'Adam il fut baptisé ;
        À cause de sa mort il fut embaumé[4] ;
    Il s'est levé et l'a ressuscité dans la gloire :
        Béni soit Celui qui est descendu revêtir Adam, et puis
                                          [est remonté !

14. Puisque ta Naissance suffit
        Aux fils d'Adam comme à Adam,
    Ô Grand qui t'es fait tout petit,
        Par ta Naissance tu m'as de nouveau enfanté ;
    Ô Pur qui fus baptisé,
        Que ton immersion nous lave de nos souillures !
    Ô Vivant qui fus embaumé,
        Que par ta mort nous achetions la vie !
    À toi en ton entier je veux dire merci, en Celui qui
                                          [remplit tout[5] :
        Gloire à toi tout entier de par nous tous !

---

1. *šūḥlâpʰé* : cf. *Nat.* I, 97 ; XIII, 9.
2. Cf. Gn 3, 7.
3. Cf. Gn 3, 21.
4. Cf. Jn 19, 39-40.
5. Peut-être Éphrem désigne-t-il ici l'Esprit Saint.

HYMNE XXIV

La pièce, divisée par la tradition manuscrite du VIIIᵉ siècle (ms. *N*) en deux séquences affectées d'un refrain propre, commente la péricope de l'arrivée des Mages à Jérusalem et du massacre des Innocents (*Mt* 2, 1-18). Le ms. *Jᵃ*, d'autre part, insère en cours de pièce quatre strophes qui se trouvent être surnuméraires dans la version du ms. *J* ici reproduite : str. 22 après str. 4, str. 23-25 après str. 14; interpolation qui se justifie par un souci de suture thématique.

Le massacre des Innocents préfigure la mort du Christ (str. 1), cependant qu'il constitue comme l'offrande de prémices au Saint (str. 18). Le commentaire de l'épisode prend par endroits un tour nettement midrachique : envoi simultané des sicaires et des Mages (str. 6), intermittences calculées de l'astre (str. 7), songe des Mages (str. 10).

À l'étoile, personnage principal de l'hymne, Éphrem reconnaît une triple fonction : symbolique, car ses apparitions et ses éclipses suggèrent la divinité et l'humanité du Christ (str. 5); providentielle, en ce qu'elle écarte les meurtriers et convoque les adorateurs (str. 8) à la manière d'un ambassadeur (str. 16); kérygmatique enfin, puisqu'elle annonce le Christ, cette dernière fonction étant envisagée en lien avec celle d'autres hérauts : prophètes et Mages (str. 13), Jean-Baptiste (str. 23-25).

L'imagerie, gracieuse et foisonnante, emprunte tour à tour au monde minéral (str. 19), végétal (str. 17-18) et animal (str. 3, 6, 25) : l'hymne est particulièrement représentative du naturalisme poétique d'Éphrem.

La polémique anti-judaïque sonne sur un mode continu et claironnant : Peuple *aveugle* (str. 11), *fils des ténèbres* (str. 12), *Peuple docte et suffisant* (str. 20). Maintes strophes assènent une sorte de refrain (str. 4, 6, 15, 20, 22). L'insistance peut paraître lourde et le triomphalisme dur (*nous* : str. 4, 15, 22). Mais au refus dramatique du Peuple élu, l'âme de l'hymnographe, si profondément musicienne en son aperception constante des harmonies cosmiques, historiques et bibliques, pouvait-elle réagir autrement qu'avec une douloureuse vivacité ?

HYMNE XXIV

(Changement de mélodie)

Structure métrique : identique à la précédente.

1. Les nouveau-nés furent occis
   À cause de ta Naissance, à toi qui à tout donnes vie !
   Parce que le Roi fut occis,
   Notre-Seigneur, le Seigneur du Royaume,
   Le tyran dans sa fourberie
   Lui offrit des otages occis,
   Revêtus des symboles de mort ;
   Les otages terrestres qu'il offrit
   Reçurent des places dans le ciel :
   Béni soit le Roi qui les a magnifiés !

Refrain : Gloire à toi de par toutes les bouches en ce jour
                                        [de ta Naissance !

2. Tous les rois de la Maison de David
   L'un à l'autre se sont livrés et transmis,
   Comme gardiens de gages en dépôt,
   Le trône et le diadème du Fils de David ;
   La lignée des prêtres, des prophètes et des rois s'est
                                        [interrompue !
   Par Un seul elle fut terminée, limitée ;
   Parce que le Maître de tout est venu

Et que d'eux il a tout reçu,
Il a interrompu l'universelle succession[1] :
    Béni soit Celui qui s'est revêtu de ses possessions !

3. En Bethléem les colombes ont gémi
            Parce que le serpent a décimé leurs petits[2] ;
    L'aigle en Égypte s'en est allé
            Pour descendre y recevoir les promesses ;
    À son sujet l'Égypte s'est réjouie,
            Car c'était un capital pour l'acquittement de ses
                                                [dettes ;
    Elle avait massacré les fils de Joseph :
            Par le Fils de Joseph elle s'est mise en peine de
                                                [réparer
    Les dettes envers les fils de Joseph contractées[3] :
            Béni soit Celui qui d'Égypte l'a appelé[4] !

4. Chaque jour les scribes lisaient :
        « Un astre se lèvera de Jacob[5] ».
    Au Peuple l'audition de la lecture,
            Aux Nations l'Apparition et l'interprétation[6] !

---

1. Cf. *CH.* XXIV, 22. La triple succession sacerdotale, prophétique et royale, résume pour Éphrem le mouvement de l'Histoire vers son terme unique : le Christ qui reçoit la triple prérogative sacerdotale, prophétique et royale.

2. Cf. Mt 2, 17-18 (Même image des colombes persécutées en *Virg.* XVI, 10). Colombe, serpent et aigle de cette strophe composent un bestiaire favori d'Éphrem.

3. La descente du Christ, fils de Joseph (cf. Lc 3, 22 ; 4, 22 ; Jn 1, 45), en Égypte (cf. Mt 2, 13 s.) permet à l'Égypte de réparer les dommages qu'elle avait causés aux descendants du patriarche Joseph (cf. Ex 1, 8 et 22).

4. Cf. Mt 2, 15 (Os 11, 1).

5. Cf. Nb 24, 17.

6. *Denḥa* : La Manifestation du Verbe dans la chair s'accompagne d'un dévoilement du sens *(pūšāqā)* de l'Écriture : l'épiphanie historique est aussi épiphanie exégétique. On notera comment, ici encore, Éphrem associe étroitement sens visuel et sens auditif (cf. *Eccl.* XXXVII, 1-2).

À eux les lèvres, à nous la réalité !
À eux les rameaux, à nous les fruits !
Les scribes lisaient dans les livres :
Les Mages ont contemplé dans les faits
La lumière qui rayonnait de la lecture :
Béni soit Celui qui nous a livré leurs Écritures !

5. Qui pourrait raconter
Les disparitions et les apparitions
De l'astre lumineux qui marchait
Devant[1] les porteurs de cadeaux ?
Il apparaissait et annonçait le Diadème[2] ;
Il disparaissait et cachait le corps ;
Il était pour le Fils les deux ensemble :
Héraut et garde du corps !
Il gardait son corps et annonçait son diadème :
Béni soit Celui qui a rendu sages ses hérauts !

6. Le tyran regarda les Mages
Qui demandaient : « Où est le Fils du Roi[3] ? »
Le cœur sombre
Et empruntant les dehors de la joie,
il envoya des loups avec les brebis
Pour tuer l'Agneau de Dieu[4] ;

1. Cf. Mt 2, 9.
2. C'est-à-dire la divinité du Christ. Dans la littérature rabbinique et la mystique juive, le « Diadème » *(Tâgâ)* est l'un des termes synonymes de la *Torah,* l'une des dix *Séfirot,* un titre divin par conséquent.
3. Cf. Mt 2, 2.
4. De façon midrachisante, Éphrem « télescope » l'envoi des mages (brebis) et celui des sicaires (loups) pourtant dissociés dans le récit évangélique (cf. Mt 2, 8 et 16). Image comparable dans *Nat.* XVIII, 16.

En Égypte l'Agneau s'en est allé
  Pour juger de là-bas
Ceux que de là-bas il avait délivrés :
  Béni soit Celui qui les a de nouveau asservis[1] !

7. Les Mages déclarèrent au tyran :
    « Lorsqu'à nous se joignent tes serviteurs,
  L'astre de lumière se cache,
      Les sentiers eux-mêmes s'estompent[2] »
  Ils ne savaient pas, les bonnes gens,
      Que le roi amer avait envoyé
  Des assassins en guise d'adorateurs
      Pour perdre le Fruit si doux.
  Que les amers qui le mangent s'amadouent !
      Gloire à toi, Remède de vie !

8. Quand les Mages reçurent l'injonction
      D'aller sur lui s'enquérir[3],
  Est-il écrit sur leur compte, ils virent
      L'astre de lumière et se réjouirent[4];
  À l'évidence il était caché;
      Aussi se réjouirent-ils de le voir;
  En se cachant il retenait les tueurs,
      En se levant il convoquait les adorateurs;
  Il écartait les uns et convoquait les autres :
      Béni soit Celui qui dans les deux camps a remporté
                                    [la victoire !

---

1. Allusion, selon BECK, à la dispersion des Juifs par Titus et Hadrien.
2. Ce dialogue relève d'une amplification typiquement midrachisante.
3. Cf. Mt 2, 8.
4. Cf. Mt 2, 10.

9. L'impur, le meurtrier des enfants,
  Comment de l'Enfant fit-il si peu de cas ?
 La Justice le retint, lui qui escomptait
  Que les Mages à lui reviendraient;
 Comme il temporisait et ajournait son dessein de capturer
  L'Adorable avec ses adorateurs,
 D'entre ses mains tout s'est échappé :
  Présents et adorateurs de s'envoler
 De chez le tyran jusqu'au Fils du Roi !
  Gloire à Celui qui connaît tous les expédients !

10. Candides[1], les Mages endormis
  Sur leur couche pensèrent
 Que leur sommeil était un miroir
  D'où se levait un songe[2], comme une lumière;
 Ils virent le meurtrier et furent saisis de terreur :
  Il faisait miroiter sa ruse et son épée !
 Il endoctrinait ses hommes avec sa ruse,
  Il aiguisait contre les enfants son épée;
 Un Veilleur instruisit les dormeurs :
  Béni soit Celui qui rend les simples rusés !

11. Dans la foi les simples ont reconnu
  Les deux Avènements du Messie,
 Mais les scribes insensés
  D'un seul Avènement ne se sont pas même aperçus !
 Les Nations par le premier à la vie sont revenues
  Et par le second, là-bas, ressusciteront;

---

1. La *šapʰyūtʰā* est une qualité du regard spirituel; la notion du « miroir »
importante chez Éphrem, entretient avec elle une affinité particulière.
2. Cf. Mt 2, 12.

Le Peuple qu'aveuglait sa stupidité,
    Le premier avènement l'a dispersé
Et le second effacera son souvenir :
    Béni soit le Roi advenu et à venir !

12. Le Rédempteur sur les aveugles s'est levé,
        Mais eux, vers d'autres ont regardé ;
    Le Soleil a montré ses rayons,
        Mais eux de ténèbres se sont vêtus ;
    Le Resplendissant a envoyé sa lumière
        Et il a mandé les fils de lumière
    Pour qu'ils révèlent aux fils de ténèbres[1] :
        « Voici au milieu de vous le Lumineux,
    Mais un voile[2] est sur vos yeux ! »
        Gloire à toi, Soleil nouveau !

13. Les Prophètes avertirent de sa Naissance,
        Mais n'en déterminèrent pas le temps ;
    Il envoya les Mages,
        Ils vinrent et en indiquèrent le temps ;
    Mais les Mages, indicateurs du temps,
        Ne déterminèrent pas où se trouvait l'Enfant ;
    L'astre de lumière, l'astre radieux
        Accourut montrer où se trouvait l'Enfant[3].
    Ô le radieux enchaînement !
        Béni soit Celui qui, grâce à eux tous, vint à notre
                                        [connaissance !

---

1. Les « fils de lumière » (cf. 1 Th 5, 5) sont les mages, les « fils de ténèbres »
sont les Juifs.
2. Cf. 2 Co 3, 14.
3. Cf. Mt 2, 9.

14. Ils[1] méprisèrent la trompette d'Isaïe
   Qui clamait haut sa pure Conception[2];
Ils firent taire la lyre des Psaumes
   Qui chantait son sacerdoce[3];
Ils imposèrent silence à la cithare de l'Esprit
   Qui sur sa royauté[4] chantait aussi;
Ils tinrent captive sous un profond silence
   La grande Nativité
Qu'avec ceux d'en bas proclamaient ceux d' en haut :
   Béni soit Celui qui du sein du silence a resplendi[5]!

15. Sa voix devint une clef invisible
   Et ouvrit la bouche des Mages;
Tandis que les hérauts se taisaient en Juda,
   Eux, dans la création, élevèrent la voix;
La Bonne Nouvelle que ceux-là méprisaient,
   Eux vinrent de loin l'apporter;
Les négateurs commencèrent à écouter
   Les voix venant d'étrangers
Qui proclamaient le Fils de David :
   Béni soit Celui qui les a fait taire par nos voix!

16. Puisque des présents le Peuple faisait fi
   Et n'offrait rien au Fils du Roi,
Chez les Nations son ambassadeur[6] est sorti
   Et les a fait venir avec leurs présents;

1. Les Juifs.
2. Cf. Is 7, 14.
3. Cf. Ps 110, 4; *Nat.* IX, 5-6.
4. Cf. Ps 2, 6; cf. Ps 103, 19; cf. Ps 145, 10-13.
5. Cf. IGNACE D'ANTIOCHE, *Magnes.* VIII, 2.
6. C'est-à-dire l'étoile.

Non pas qu'il les ait fait tous venir,
   Car le sein étroit de Bethléem
N'aurait pu leur suffire !
   Le giron de la Sainte Église, lui,
S'est dilaté pour contenir ses enfants :
   Béni soit Celui qui a rendu féconde la stérile[1] !

17. Les tueurs en Bethléem ont moissonné
   De tendres fleurs[2], pour qu'avec elles
Pérît la tendre Semence
   Où se cachait le Pain de vie ;
L'Épi de vie s'est enfui
   Pour venir Gerbe à la moisson ;
La Grappe qui avait fui en son enfance
   Au pressoir s'est elle-même livrée
Pour donner aux âmes par son vin la vie :
   Gloire à toi, Trésor de vie !

18. Ils sont entrés, les impies, dans le jardin[3]
   Rempli de fruits prématurés ;
Ils ont secoué les fleurs des rameaux,
   Ils ont saccagé corolles[4] et bourgeons ;
Le vandale, sans le savoir,
   A présenté de belles oblations !

---

1. Cf. Is 49, 21.
2. Dans son hymne sur l'Épiphanie, le poète latin PRUDENCE use de la même métaphore : « Salvete flores martyrum / quos lucis ipso in limine / Christi insecutor sustulit / ceu turbo nascentes rosas »(*Cathemerinon* XII, 125-128). Elle se retrouve ailleurs chez ÉPHREM : cf. *Az.* IX, 9-11.
3. Littéralement « paradis ».
4. Le terme employé ici *(sᵉmâdrâ)* désigne très spécialement les fleurs de la vigne (cf. Is 17, 11 ; Ct 2, 15).

A lui malheur, à eux bonheur ;
  Bethléem a offert en prémices
Au Saint des fruits virginaux :
  Béni soit Celui qui a reçu ces premiers cadeaux !

19. Les scribes s'étaient tus par envie
  Et les pharisiens par jalousie ;
Des hommes de pierre ont crié louange,
  Eux qui avaient un cœur de pierre[1] ;
Ils ont rendu gloire devant la Pierre
  Rejetée, devenue Pierre capitale[2] ;
Les pierres, par la Pierre amollies,
  Ont acquis une bouche pour parler ;
Les pierres grâce à la Pierre ont crié[3] :
  Béni soit ta Naissance qui fait crier les pierres !

20. L'Étoile écrite en l'Écriture,
  Des Nations lointaines l'ont vue
Pour que le Peuple proche[4] fût dans la confusion.
  Ô Peuple docte[5] et suffisant,
Reviens apprendre des Nations
  Comment et où elles ont vu
Cet Orient par Balaam prédit[6] !
  Étranger, celui qui l' indiqua ;
Étrangers, ceux qui le virent :
  Béni soit Celui qui a rendu jaloux les gens de sa
                                    [maison !

1. Cf. Ez 36, 26 ; *Nat.* XXII, 17.
2. Cf. Mc 12, 10 (Ps 118, 22).
3. Cf. Lc 19, 40.
4. Cf. Ps 148, 14.
5. Cf. Rm 2, 21.
6. Cf. Nb 24, 17.

21. Que de ta porte approche ma prière[1]
          Et de ton trésor ma pauvreté !
Donne-moi, Seigneur, sans compter,
          Comme Dieu à l'homme (sait donner) !
Si tu donnes beaucoup, c'est en Fils du Bon ;
          Si tu ajoutes encore, c'est en Fils du Roi.
Si je me montre ingrat, c'est que je suis poussière.
          Comme l'homme est un fils d'Adam,
Le Bon est le Fils du Bon :
          Gloire à toi qui ressembles à ton Père !

22. Il ne s'est pas aperçu, le Peuple qui détenait
          Les Écritures, qu'elles proclamaient ses fautes ;
Elles crient sa sortie
          Et racontent notre entrée ;
Voici que (le Peuple) insensé lit dans ses livres
          Les promesses à nous échues en partage ;
Tandis qu'il tire vanité de ses Écritures,
          De sa propre condamnation il nous donne lecture ;
À notre entrée en possession il rend témoignage :
          Béni soit Celui qui les a épuisés pour nous mettre
                                        [au repos !

23. Deux hérauts ont exposé
          Les propriétés de l'Unique :
L'astre de lumière et Jean[2] ;
          Lumière à son lever le premier, voix le second ;
Car l'Annoncé lui aussi
          était Verbe et Lumière[3] !

---

1. Expression psalmique : cf. Ps 119, 169.
2. Cf. *Nat.* VI, 9.
3. Cf. Jn 1, 1 et 9.

Servants se sont faits pour lui voix et rayon :
    L'astre à son lever a proclamé sa Lumière
Et la voix sa Sagesse :
    Béni soit par ses hérauts le Premier-né !

24. Jean le vit et s'écria :
    « C'est lui, l'Agneau de Dieu[1] ».
L'Agneau engraissa, grandit
    et devint Oblation ;
Jean point ne redouta
    de crier : « Le voici, c'est lui[2] ! ».
Quand bien même l'attaquaient les meurtriers[3],
    C'était le temps de l'Aspersion
Pour qu'ait lieu par son Sang la Rémission :
    Béni soit Celui qui s'est acquitté de nos péchés !

25. L'astre de lumière, l'astre radieux
    À Jean ne ressemblait pas,
Car il se levait en certains lieux
    Pour frayer aux simples la voie ;
En d'autres lieux il s'abîmait
    Pour faire perdre aux loups leur chemin ;
Il préservait de la tuerie l'Agneau
    Pour qu'il vînt en son jour à la tuerie
Par laquelle serait pardonné le troupeau :
    Béni soit Celui qui a racheté ce qui lui appartient !

---

1. Cf. Jn 1, 29.
2. Cf. n. 1.
3. La mort de Jean-Baptiste à laquelle Éphrem semble faire ici allusion préfigure celle du Christ, comme celle des Innocents (cf. str. 1-3).

HYMNE XXV

Cette « hymne-béatitude » est composée de dix-sept macarismes adressés successivement à l'Église (str. 1-10), à Bethléem-Éphrata (str. 11-13) et à Marie (str. 14-17). L'association de ces trois destinataires est à elle seule éminemment significative au plan de la mariologie comme à celui de l'ecclésiologie et les trois thèmes ne cessent de concerter ici en de subtiles interférences.

En souvenir des dix béatitudes évangéliques (str. 10 : nouveau jeu sur les nombres), les dix premiers macarismes célèbrent d'abord en l'Église le point de confluence de l'Orient et de l'Occident (str. 3), de l'histoire religieuse et de l'histoire profane : en même temps qu'elle hérite des fêtes de l'ancien Israël (str. 2 et 9), l'Église bénéficie des victoires de l'Empire romain christianisé sur l'oppresseur sassanide (str. 4, indice indiscutable de l'authenticité de la pièce). À la strophe 9, Éphrem se sert successivement d'un mot d'origine sémitique et d'un mot d'origine grecque pour traduire la notion de temple : ce fait lexical minime et peut-être involontaire est bien révélateur de la symbiose culturelle qui s'opère au creuset de l'Église, héritière, comme l'Enfant-Roi, de tous les trésors de l'humanité. Mais l'Église est aussi le milieu où s'accomplissent quatre grands oracles messianiques : Isaïe l'annonçait comme mystère de communion (str. 5), Michée comme Maison du Pain, c'est-à-dire de l'Eucharistie (str. 6), Daniel comme banquet de noce dont les invités véritables sont les Nations (str. 7), David enfin comme sanctuaire où le Fils est engendré (str. 8).

Les trois macarismes destinés à Bethléem reviennent sur la prophétie de Michée (str. 11 et 13); le choix de la bourgade, comme celui de la Vierge, témoigne de la prédilection du Fils pour tout ce qui est pauvre et petit (str. 12).

Marie ne s'est pas autorisée de son exceptionnelle familiarité avec le mystère pour le déflorer par des raisonnements indiscrets : aux inquisiteurs ariens d'en tirer une leçon d'humilité intellectuelle (str. 14-15)! Un macarisme consacré à Syméon (str. 16) renoue avec le thème du temple (cf. str. 9). La dernière strophe, avec son évocation des *Veilleurs*, forme inclusion avec la strophe 2; la Maison de Marie couronnée d'anges, cœur de Bethléem et figure de l'Église, suggère l'ultime fusion des trois destinataires du poème, devenus objets d'une même contemplation.

HYMNE XXV

(Changement de mélodie sur l'air :
« Heureuse es-tu, Éphrata! »)

Structure métrique : chaque strophe comporte huit vers.

1. Heureuse es-tu, Église, car voici que retentit en toi
La grande fête, la Solennité du Roi !
En Sion la délaissée, d'elles sont grandement assoiffées
Les portes, esseulées[1] de solennités.
Heureuses tes portes : elles se sont ouvertes, mais sans
[contenir l'affluence.
Heureux tes parvis : ils se sont déployés, mais (à la
[foule) n'ont pas suffi.
En toi tonnent les Nations : voici que par leurs cris
Elles ont réduit le Peuple au silence !

Refrain : Gloire à Celui qui l'a envoyé !

2. Heureuse es-tu, Église, car en tes solennités
Les Veilleurs se réjouissent au milieu de tes fastes!
Toute une nuit les Veilleurs ont chanté la Doxologie
Sur la terre ingrate qui tenait la Gloire enfouie.

---

1. Ces quatre premiers vers sont remplis d'assonances ; d'une part *'édt^{h}â* (Église), *'édâ* (fête), *'ad'édâ* (solennité), d'autre part *Ṣyūn* (Sion), *ṣhyn* (assoiffées), *ṣdyn* (esseulées).

Heureux tes chants qui furent semés, moissonnés
  Et engrangés aux célestes greniers !
Ta bouche est un encensoir, et tes chants, comme un
                                              [encens,
    S'exhalent en tes solennités.

3. Heureuse es-tu, Église, car toutes sortes d'offrandes
      viennent à toi en cette fête !
  Les Mages, chez les menteurs, en un moment
      Ont offert leurs présents à la Vérité.
  Heureuse ton habitation où s'inclina et demeura
      Le Fils du Roi adoré avec des présents,
  L'or de l'Occident et les aromates de l'Orient
      Offerts en tes solennités.

4. Heureuse es-tu, Église ! Chez toi
        Point de roi, point de tyran qui tue les nourrissons !
  En Bethléem il a massacré les enfants sans discernement
        Pour faire mourir le Nouveau-né qui à tous donne vie[1].
  Heureux tes enfants, objets d'envie et de vénération
        De la part des rois assaisonnés de ta Religion[2] !
  Le diadème de l'Orient qui piétinait ceux qui t'aiment
        Sera piétiné par ceux que tu chéris[3].

5. Heureuse es-tu Église ! Voici qu'à ton sujet jubile
        Aussi Isaïe en sa prophétie !
  « Voici que la Vierge concevra et enfantera, dit-il,
        Un Enfant[4] » dont le Nom est un grand mystère.

1. Cf. Mt 2, 16.
2. C'est-à-dire l'empereur Constantin et ses successeurs.
3. Éphrem manifeste ici une confiance excessive dans les victoires rem-
portées par Rome sur l'empereur sassanide Sapor II, persécuteur des chrétiens. Cette allusion nous fournit cependant un repère chronologique pour
la datation de l'hymne XXV, et peut-être de tout le cycle noëlique.
4. Cf. Is 7, 14 ; cf. *Nat.* XIX, 8.

Ô signification révélée dans l'Église !
Deux Noms mélangés n'en ont fait qu'un :
« Emmanuel[1] ! » Il est avec toi pour toujours,
Lui qui à ses propres membres t'a unie[2] !

6. Heureuse es-tu, Église, car Michée s'est écrié :
« D'Éphrata sort un Berger[3]. »
Oui, il est venu à Bethléem pour y prendre
La houlette de Jessé[4] et paître les Nations.
Heureuses les brebis marquées de sa Signation
Et tes agneaux préservés par sa Parole[5] !
C'est toi, Église, oui c'est toi Bethléem en permanence,
Car en toi réside le Pain de vie[6] !

7. Heureuse es-tu, Église ! Voici qu'à ton sujet se réjouit
Aussi Daniel, l'homme de désir[7] !
Il a indiqué la mise à mort du glorieux Messie,

---

1. Cf. p. 294, n. 4

2. « *amman* » (« avec nous » en syriaque) ne constitue pas en toute rigueur de terme un nom divin autonome ; il est soudé à « El » par un « w » qui peut être compris comme une conjonction (et) ou comme un enclitique (est). « Unir » traduit le verbe «*mzag*» qui exprime chez Éphrem à la fois l'union des Personnes divines, celle des deux natures dans le Christ et celle du Christ avec chacun de nous, en particulier dans la communion sacramentelle (cf. MURRAY, *Symbols*, p. 149 et n. 1). À travers ce jeu de mots se fait jour une intuition ecclésiologique des plus profondes : l'Église, communion de Dieu et de l'homme, est unie par un lien nuptial au Christ dont le corps (les «membres»), en sa réalité physique actualisée par les sacrements, demeure une source inépuisable de grâce (cf. MURRAY, *ibid*, chap. II : *The body of Christ*, p. 69 s.).

3. Cf. Mi 5, 3.

4. Cf. Is 11, 1.

5. « Signation » *(rūšmā)* et « parole » *(meltā)* suggèrent l'initiation chrétienne et la catéchèse baptismale.

6. Nouveau jeu de mots, cette fois sur Bethléem : « Maison du Pain ». Cf. Jn 6, 48.

7. Cf. Dn 9, 23.

Et qu'à cause de son meurtre la Ville sainte serait
[détruite[1].
Malheur au Peuple répudié qui ne s'est pas converti !
Bienheureuses les Nations convoquées qui ne se
[sont pas détournées !
Les invités s'étaient excusés : d'autres à leur place
Se délectent de leurs noces[2].

8. Heureuse es-tu, Église ! Sur sa lyre
Voici qu'à ton sujet chante David le roi ;
Dans l'Esprit il chante sur lui : « Mon Fils, c'est toi,
Et moi, dans les splendeurs du sanctuaire, je t'ai
[engendré aujourd'hui[3] ».
Heureuses tes oreilles qui ont été purifiées pour ouïr
Son Jour comme son Corps[4]! Reste en éveil et
[rends-lui honneur !
De Sion tire une leçon : la solennité qu'elle avait
[assombrie,
Rends-la radieuse, car elle t'a réjouie !

9. Heureuse es-tu, Église, car toutes les solennités
Se sont envolées de Sion pour habiter chez toi ;
Au milieu de toi les prophètes fatigués ont trouvé le repos,
Après les labeurs et les outrages de Judée.
Heureux ses livres déroulés dans tes temples
Et ses fêtes solennisées dans tes sanctuaires[5]!

1. Cf. Dn 9, 26.
2. Cf. Lc 14, 15-24.
3. Citation confluente de Ps 2, 7 et Ps 110, 3 dont l'intention est de faire apparaître l'Église comme le « Sanctuaire » dans lequel la génération éternelle du Verbe est célébrée.
4. « Comme » (*ayk*) a la valeur d'une conjonction de coordination, sorte d'hendiadyn qui équivaut à : «jour de la naissance corporelle ».
5. Pour évoquer les édifices du culte chrétien, Éphrem utilise ici successivement deux termes dont le premier *hayklâ*, d'origine sémitique, rappelle le

Sion est devenue déserte[1], mais voici qu'aujourd'hui
                                              [les mondes
    Retentissent de tes solennités.

10. Heureuse es-tu, Église, à cause des dix Béatitudes[2]
        Que Notre Seigneur t'a données ! Symbole de
                                              [plénitude,
    Car du (chiffre) dix dépendent tous les nombres ;
        Aussi les dix Béatitudes ont-elles consommé ta
                                              [perfection.
    Heureuses tes couronnes tressées de toutes
        Les saintes Béatitudes à toute couronne
                                              [entremêlées !
    Bienheureuse, de tout « Bienheureuse! » couronnée,
    Lance un « Bienheureux! » sur moi aussi !

11. Heureuse es-tu, Éphrata, mère des rois,
        Car de toi s'est levé le Seigneur des diadèmes ;
    Michée t'a annoncé qu'il est depuis l'éternité
        Et que de ses siècles incompréhensible est
                                              [l'étendue[3].
    Heureux tes yeux qui, avant tous les autres, l'ont
                                              [rencontré !
        Il t'a rendu digne de le contempler en son Épiphanie ;
    Lui, le Principe des bénédictions et le Commencement
                                              [des joies,
        Avant l'univers, tu l'as reçu !

Temple de l'Ancien Testament, et le second, *nawsā*, transcription de ναός,
rappelle le temple grec.
    1. Cf. Jr 26, 18.
    2. Éphrem fait allusion tout à la fois aux dix premières strophes de son
hymne (« Heureuse es-tu, Église !... ») et à une ancienne tradition syriaque
qui dénombre dix béatitudes : APHRAATE, dans sa Démonstration sur
l'Amour (*Dém.* II, 19, SC 349, p. 263), s'en fait lui aussi le témoin.
    3. Cf. Mi 5, 2.

12. Heureuse es-tu, Bethléem, car les murs d'enceinte t'ont
[jalousée
    Ainsi que les villes fortifiées !
Il en va pour Marie comme pour toi : les femmes lui ont
[porté envie
    Ainsi que les vierges de haut lignage[1] ;
Heureuse la jeune fille dont il daigna faire sa demeure
    Et le village aussi où il daigna habiter !
Une fille pauvrette et un petit village :
    Voilà ce qu'il a choisi pour s'humilier !

13. Heureuse es-tu, Bethléem, car en toi il se fit un
[commencement
    Pour le Fils qui depuis toujours est dans le Père !
Chose difficile à comprendre : Celui qui est avant
[le temps
    En toi au temps s'est lui-même soumis.
Heureuses tes oreilles ! Elles ont entendu les premiers
[bêlements
    De l'Agneau de Dieu qui gambadait en toi.
Comme dans la crèche il était à l'étroit, il s'est déployé
[de tous côtés
    Et par toutes les créatures a été adoré.

14. Heureuse es-tu toi aussi, Marie, car ton nom
    Est grand et magnifié[2] encore à cause de ton Fils !
Certainement tu aurais pu nous dire comment, dans
[quelle mesure
    Et où demeurait en toi le Très-Grand qui s'est fait
[tout petit :

---

1. Cf. *Nat.* VIII, 20.
2. Les deux mots « Marie » et « magnifié » présentent en syriaque les mêmes consonnes : *mrym*.

Heureuse ta bouche qui a rendu grâce sans recherche
> Et ta langue qui a rendu gloire sans inquisition[1]!
Si sa Mère, Celle-là même qui le portait, se perdait sur
>   [lui en conjecture,
> Qui donc serait capable de le (connaître)?

15. Ô Femme que nul homme n'a connue,
> Comment contemplerons-nous le Fils que tu as
>   [enfanté?
Nul œil n'est capable de soutenir
> Les transformations[2] glorieuses à lui advenues;
Car des langues de feu[3] habitent en lui
> Qui envoya des langues de feu lors de son
>   [Ascension.
Que toute langue prenne garde ! Nos raisonnements
>   [ne sont que bois menu
> Et que feu nos investigations[4].

16. Heureux le prêtre[5] qui, dans le Sanctuaire,
> Offrit au Père le Fils du Père,
Fruit sur notre arbre récolté,
> Quoique provenant tout entier de la Majesté[6] !
Heureuses ses mains qui, en l'offrant, furent consacrées
> Et ses cheveux blancs qui, en l'embrassant,
>   [rajeunirent !

---

1. Les deux verbes de sens voisin employés ici *(hmas* et *bṣa)* contiennent une pointe typiquement anti-arienne.
2. *Šūḥlap^hé* : cf. *Nat.* XIII, 9.
3. Cf. Ac 2, 3.
4. Cf. *HdF.* XXVIII, 11, 6.
5. Il s'agit du vieillard Syméon : cf. Lc 2, 25-32.
6. Cf. *Nat.* III, 17.

L'Esprit l'accueillit dans le temple à Son entrée
Et lorsqu'il fut mis en croix, il déchira (le voile)
[pour en sortir[1].

17. Le Prince des anges t'a donné la paix[2]
Comme arrhes de sainteté;
La terre pour lui devenait ciel nouveau,
Puisque pour dire « Gloire[3] » les Veilleurs y
[descendaient.
Les Fils d'en haut entourèrent ta demeure
À cause du Fils du Roi qui en toi résidait;
Ton logis d'en bas, au ciel d'en haut
Tu l'as rendu semblable, à cause de la faction des
[Veilleurs[4].

---

1. Conjonction midrachisante entre Lc 2, 27 et Mt 27, 51.
2. Cf. Lc 1, 28.
3. Cf. Lc 2, 14.
4. Littéralement : à cause de la « vigilance » *('irūt^hā)*, c'est-à-dire la qualité des « Veilleurs » par excellence *('iré)* que sont les anges.

HYMNE XXVI

La composition numérique plaide hautement en faveur de l'authenticité de ce « Calendrier mystique de l'Enfance » dont l'inspiration s'apparente à celle de la « Couronne » de l'*Hymne* XVIII.

Les deux premières strophes chantent les deux premières années de la vie du Christ; le rattachement du massacre des Innocents à la deuxième année s'autorise sans doute de Mt. 2, 16 : *Tous les enfants de moins de deux ans...*

Mais Éphrem substitue bientôt le décompte des jours à celui des années. C'est ainsi que chacun des Jours du septénaire de la Création (str. 3-10) est invité à remercier le Fils qui, par sa naissance temporelle et toute l'œuvre salvifique qu'elle inaugure, en accomplit les *similitudes* et les *allégories* (str. 13). En lui se récapitulent tous les éléments de la Création primitive : il est *l'Arbre* (str. 4), *l'Eau vive* (str. 5), *la Fleur* (str. 6), *le Soleil* (str. 7), *l'Oiseau* (str. 8 et 13).

Le poème eût pu se clore sur le septième Jour et l'évocation du Verbe créateur *infatigable* (str. 10), mais Éphrem poursuit sa numération en revenant aux événements de l'Enfance : Circoncision (str. 11), imposition du Nom (str. 12) et Purification (str. 13) dont la séquence lui était suggérée par Lc 2, 21-22. Il passe aisément de la dizaine à la quarantaine, puisque la Purification eut lieu quarante jours après la Nativité.

Protologie et christologie ne cessent ici de s'enchevêtrer. On sait d'autre part quelle importance croissante a prise la spéculation sur le récit de la Création dans la tradition rabbinique où le *Bereshit* revêtait tous les caractères d'une hypostase divine. Alors même qu'il polémique contre le judaïsme, Éphrem manifeste qu'il en a intimement assimilé, à sa mystique comme à son esthétique, bien des données : nous sommes en présence d'un véritable midrach chrétien sur la Genèse[1].

En couvrant l'intégralité du cycle scripturaire et liturgique de Noël, cette hymne fascinante récapitule les trois étapes du temps sacral : temps de la Création, temps de l'Incarnation et temps de l'Église.

---

1. Pour mieux prendre la mesure du substrat judéo-chrétien, si subtil et si complexe, dans lequel cette pièce s'enracine, on lira avec profit J. DANIÉLOU, *Théologie du judéo-christianisme*, chap.VI : *Les titres du Fils de Dieu : le Principe et le Jour.*

HYMNE XXVI

(Changement de mélodie)

Structure métrique : chaque strophe est composée de trois vers comptant chacun cinq plus cinq syllabes, d'un quatrième vers comptant seulement cinq syllabes et de quatre autres vers, de huit ou neuf syllabes chacun.

1. La première année de la Naissance de notre Rédempteur
        Est principe des biens et fondement de la vie ;
    C'est elle en effet qui porte une multitude de victoires
            Et une somme de secours.
Comme le Premier Jour, celui du Commencement[1],
        Assise majeure du monde créé,
        Soutient la bâtisse de la Création,
Le Jour du Premier-Né apporte des secours à l'humanité.

Refrain : Bénie soit ta Naissance qui met en joie toute la
                                                    [création !

2. En la seconde année de la Naissance de notre Rédempteur,
        Les Mages sont en liesse, les Pharisiens en tristesse ;
    Les trésors sont ouverts, les rois sont pris de peur ;
            Les tout-petits sont égorgés.
Cette année-là furent offerts en Bethléem
        Des présents désirables et redoutables :

---

1. Cf. Gn 1, 1 ; Jn 1, 1 ; Pr 8, 22

Amour offrit de l'or,
>   Envie des nouveau-nés par l'épée mis à mort[1].

3. Le Jour de l'universel Illuminateur est radieux en sa
>   [Nativité;
>   C'est une colonne lumineuse[2] qui pourchasse de
>   [ses clartés
>   Les œuvres de ténèbres[3], un type de ce jour
>   Où la lumière fut créée[4],
>   Où il déchira les ténèbres
>   Qui des créatures recouvraient la beauté.
>   L'éclat naissant de notre Rédempteur
>   Est entré, déchirant les ténèbres qui recouvraient
>   [le cœur.

4. Le premier Jour, Principe et Commencement,
>   Offre l'image d'une racine aux multiples
>   [bourgeons;
>   Mais combien plus glorieux que lui le Jour de notre
>   [Rédempteur,
>   Planté au milieu de l'univers!
>   Sa mort en effet ressemble à une souche en pleine terre
>   Et à une cime dans le ciel sa résurrection;
>   En tous sens ses Paroles comme frondaison,
>   Et comme fruit son Corps pour ceux qui le
>   [mangent[5].

1. Cf. Mt 2, 1-16.
2. Cf. Ex 13, 21-22; 40, 38.
3. Cf. Rm 13, 12.
4. Cf. Gn 1, 3-5.
5. Le Christ, dans le déploiement intégral de son œuvre rédemptrice (signifiée ici par le « Jour ») est le nouvel Arbre édénique (cf. Gn 2, 9). Éphrem se souvient aussi de la parabole évangélique du Royaume (cf. Mt 13, 31-32), le Royaume étant compris comme le mystère christique en sa plénitude, comme chez Origène pour qui le Christ est αὐτοβασίλεια, « le Royaume en soi ».

5. Le deuxième jour, rendons gloire pour la Naissance
        Du Fils, du Second[1], de la Voix[2] du Premier ;
    Il a commandé au firmament, et il fut[3].
            Il a séparé les eaux d'en haut
    Et les mers d'en bas il les a rassemblées[4] ;
            Lui qui a fait une séparation entre les eaux,
    Des Veilleurs il s'est séparé pour descendre auprès de
                                        [l'humanité ;
            À la place des eaux qui sur son ordre s'étaient
                                        [rassemblées,
    Il a ouvert une source de vie[5] et nous a abreuvés.

6. Que le troisième jour entrelace en une couronne
        Psaumes et hymnes, et l'offre à l'unisson
    Pour la Naissance de Celui qui fit éclore fleurs et
                                        [bourgeons
            Le troisième Jour[6] ;
    Maintenant l'universel Germinateur
            Est descendu, sainte Fleur il est devenu ;
    De la Terre assoiffée[7] il a fleuri, il a poussé,
            Pour parer de couronnes les vainqueurs

7. Le quatrième jour, quatre fois remercions
        L'Enfant qui, le quatrième Jour, créa
    Le couple des luminaires[8] ; les insensés leur vouèrent
                                        [adoration,

1. Pour cette numération trinitaire, voir *HdF.* XXIII, 13 s.
2. Le Fils est la « Voix » *(qālā)* du Père, comme en *Nat.* IV, 132.
3. Cf. Gn 1, 6.
4. Cf. Gn 1, 7.
5. Cf. Ps 36, 10 ; *Odes de Salomon,* VI. Éphrem pense au baptême.
6. Cf. Gn 1, 11-13.
7. C'est-à-dire Marie : cf. *Nat.* XI, 4 ; XVIII, 13.
8. Cf. Gn 1, 16.

Ils devinrent aveugles et perdirent la vue.
Le Seigneur des luminaires est descendu
Et du sein (de Marie) sur nous, comme un soleil, il
[a brillé ;
Ses clartés ont ouvert les yeux des aveugles
Et ses rayons ont ébloui les égarés.

8. Que le cinquième jour rende gloire à Celui qui créa,
Le cinquième Jour, les reptiles et les dragons[1] :
À leur engeance appartient le Serpent qui trompa et
[égara notre mère[2],
Cette petite fille sans raison ;
Parce que le Trompeur de la petite fille s'était joué,
Son mensonge fut mis à découvert par la Colombe[3] :
D'un sein candide il s'est levé, il est sorti,
Le Sage qui écrasa le Rusé.

9. Que le sixième jour rende gloire à Celui qui créa, le
[Vendredi,
Adam[4] auquel le Malin porta envie ;
Il le trompa avec les airs d'un ami, avec un sourire il lui
[tendit
un poison dans un aliment ;
Le Remède[5] de vie, pour faire la part des deux, trouva
[un expédient :
Il revêtit un corps et à tous deux s'offrît :

1. Cf. Gn 1, 20-21.
2. Cf. Gn 3, 13.
3. L'association du Serpent et de la Colombe, déjà relevée (cf. *Nat.* XXIV, 3), a peut-être été suggérée par l'imagerie néo-testamentaire (cf. Mt 10, 16). Dans la spéculation gnostique d'autre part, la Colombe est un symbole du Verbe, la somme numérique de περιστερά étant identique à celle de A + Ω (cf. J. DANIÉLOU, *Théologie du judéo-christianisme*, p. 214).
4. Cf. Gn 1, 26-31.
5. Le même mot *sammā* signifie « poison » et « remède ».

Le mortel en goûta et trouva la vie,
   Le Glouton en mangea et fut anéanti[1].

10. Que le septième jour clame « Saint ! » au Saint
   Qui sanctifia le Sabbat pour donner aux êtres vivants
                              [le repos[2];
L'Infatigable[3] en sa bonté a pris soin de l'humanité
   Et même des animaux !
Parce que sous le joug succombait la liberté,
   Il vint à la naissance, pour nous libérer il se fit
                              [serviteur;
Par un valet au tribunal il fut souffleté[4]
   Et le joug qui pesait sur les hommes libres, il le brisa
                              [en Seigneur.

11. Que le huitième jour qui circoncit les Hébreux
   Remercie Celui qui enjoignit à son homonyme
                              [Josué
De circoncire avec le silex le Peuple[5] circoncis de corps,
   Mais dont le cœur au-dedans était païen;
Voici que le huitième jour, comme un nourrisson,
   Celui qui circoncit l'univers est venu à la
                              [circoncision[6];
Quoiqu'il portât sur sa chair le signe d'Abraham[7],
   l'aveugle fille de Sion l'a outragé.

---

1. Le vendredi, jour de la création de l'homme, est aussi celui de la faute originelle et de la « Parascève » (cf. Jn 19, 14) en laquelle s'est accompli le salut par la croix. Le corps du Christ vivifie l'homme dans l'Eucharistie et dépouille le Shéol lors de la Descente aux enfers.
2. Cf. Gn 2, 3; Ex 20, 8-11.
3. Cf. Jn 5, 17.
4. Cf. Mt 26, 68.
5. Cf. Jos 5, 2.
6. Cf. Lc 2, 21.
7. Cf. Gn 17, 11.

12. Que le dixième jour rende gloire avec son chiffre,
    car YOD, l'initiale de JÉSUS le beau Nom,
A la valeur du chiffre dix qui, tel un seigneur,
Fait recommencer la numération ;
Lorsqu'un chiffre en effet s'élève à la dizaine,
    Il revient en arrière et par « un » recommence :
Ô grand mystère (caché) en JÉSUS
    qui recommence la création par sa puissance [1] !

13. Au jour de sa Purification [2], le Premier-Né, le
                    [Purificateur universel
        A purifié la purification des premiers-nés [3] : il a été
                                    [offert.
Le Seigneur des offrandes a besoin de présenter
    en offrande des oiseaux [4] !
Les similitudes ont trouvé leur accomplissement dans
                    [sa Naissance,
        Dans sa Purification et sa Circoncision les
                            [allégories.
Il est venu payer les dettes par sa Condescendance :
    Il est remonté, il a envoyé des trésors [5] en sa
                            [Résurrection.

1. Pour le symbolisme du chiffre dix, cf. *Nat.* XXV, 10 et XXVII, 2-4. L'Hymne VI *de Fide*, alphabétique, ouvre sa dernière strophe sur un *Yūd* en l'honneur de « Jésus, Nom digne de louange », et là aussi, Éphrem se complaît dans la contemplation de cette initiale mystique, dixième lettre de l'alphabet syriaque. De l'Épître de Barnabé à Bède le Vénérable, la littérature patristique offre maintes spéculations arithmétiques sur les lettres qui composent le Nom de Jésus (cf. J. E. MÉNARD, *Les illustrations de l'Évangile de Vérité sur le Nom*, dans *Studia Montis Regii*, t. 5, 1962, p. 185-214).

2. Cf. Lc 2, 22.

3. Cf. Lv 12, 2-4.

4. Cf. Lc 2, 24.

5. Cf. Ep 4, 8 (Ps 68, 19). Pour Éphrem, c'est dans la Descente-Montée du Christ-Oiseau (cf. *Nat.* XII, 1) que l'offrande d'oiseaux prescrite par la loi mosaïque trouve son accomplissement.

HYMNE XXVII

Ample orchestration d'un thème que l'hymne précédente avait seulement effleuré (cf. XXVI,12). Éphrem, usant du procédé rabbinique de la « gématrie », c'est-à-dire de la spéculation sur la valeur numérique des lettres constitutives des noms, entreprend d'abord une longue méditation sur le Nom de Jésus où son ingéniosité poétique se donne libre cours (str. 2-13). Ce Nom partage son initiale *Yod* avec celui de Joseph, cependant que le titre de « Messie » débute par un *Mim*, comme « Marie » (str. 5-7). Cette sainte famille de noms (str. 9) s'élargit à Jean-Baptiste, lequel partage lui aussi avec Jésus l'initiale *Yod* (str. 10). La communion inter-nominale est le signe d'une interdépendance ontologique (str. 9) : comme le Nom soutient les noms, la *Puissance* (c'est-à-dire la Personne divine) soutient les personnes (les *corps*, en terminologie éphrémienne) et les habilite à accomplir leur ministère propre dans l'économie du Nouveau Testament, qu'il s'agisse de la maternité divine (str.7-8) ou du baptême de Jean (str. 10).

La spéculation pythagorisante sur les nombres découvre elle aussi un symbolisme caché dans les dates respectives de la conception virginale et de la Nativité (str. 2-4, 12-13). Le *dix* permet de relier l'événement noëlique à l'événement pascal (str. 3), tandis que le *six* donne lieu à une évocation du plérôme cosmique (str. 3-4, 12).

Une séquence sur la kénose (str. 14-16) sert de transition avec le second mouvement de l'hymne (str. 16-22) dont la thématique solaire s'annonçait déjà dans la première strophe : les phases du Christ, véritable *Sol invictus*, interfèrent avec celles du Précurseur.

Soutenu par un mètre léger, ce « Cantique du Soleil » explore un double mystère : celui du langage et celui du temps.

HYMNE XXVII

(Changement de mélodie)

Structure métrique : chaque strophe comporte quatre vers.

1. La lumière fut comme un héraut
      Pour le Luminaire que Marie enfanta,
  Car sa Conception eut lieu lors du triomphe de la lumière
      Et sa Naissance lors du triomphe du soleil arriva[1] :
            [béni soit le Vainqueur !

Refrain : Gloire à Toi, Fils du Seigneur de l'univers !

2. *Yod* est placé en tête de ton Nom,
      Au dix du mois de Nisan il est placé ;
  Le dixième jour dans le sein tu es entré :
      Symbole du nombre parfait que ta Conception[2] !

---

1. Cf. *Nat.* IV, 29-34 et 119-121 ; XVIII, 21-22. La Conception eut lieu en *Nisan* (avril) et la Naissance en *Kânûn* (janvier).
2. *Yod*, première lettre du Nom de Jésus (Yeshuah) ; sa valeur numérique est dix : cf. *Nat.* XXVI, 12. La datation de la conception virginale au 10 de Nisan revêt une signification pascale : c'était le jour où l'agneau était mis de côté (cf. Ex 12, 3). Sur les origines et les harmoniques de cette datation, cf. S. P. BROCK, *The Luminous Eye*, p. 86-88.

3. Le chiffre dix est parfait :
  Au dix de Nisan, dans le sein tu es entré.
Le chiffre six est complet :
    Au six de Kanoun[1], ta Naissance a réjoui les six
                                          [Côtés[2].

4. Le chiffre dix est la somme
      Et six est la somme des sommes[3].
Le dix sa Conception, le six sa Naissance ;
      Les quatre directions, la Hauteur et la Profondeur
              [en sa Nativité trouvent réjouissance !

5. Le nom de Joseph n'était pas capable
      De te servir de père : il était trop faible !
Ton Nom lui a donné la lettre *Yod*[4] ;
        Ton Nom a conforté le nom de Joseph pour qu'il te
                                          [fût un père.

6. Le Messie derechef de son initiale
      A fait don au nom de Marie en sa compassion[5] :
Voici leurs noms à Ses Noms suspendus ;
      À sa Puissance leurs corps sont suspendus, avec
                                  [toute la création[6].

---

1. Cf. *Nat.* V, 13.

2. Les six directions du monde : cf. *Nat.* XXV, 13 (avec un mot différent). Éphrem joint aux quatre points cardinaux la « Hauteur » et la « Profondeur » (cf. str. 4) selon une conception plérômatique du monde.

3. 10 est la somme des chiffres consécutifs de 1 à 4 et le carré de 6 est la somme des chiffres consécutifs de 1 à 8.

4. « Jésus » et « Joseph » commencent en syriaque par la même lettre *Yūd*.

5. « Messie » et « Marie » commencent en syriaque par la même lettre *Mim*.

6. Éphrem voit dans la subtile dépendance nominale des noms de Joseph et de Marie par rapport aux titres du Christ le signe d'une dépendance onto-logique par rapport au Verbe créateur désigné par le terme de « Puissance » (*ḥaylâ*).

7. Car de Marie qui le portait
> Dans son sein et sur son giron, lui, le Messie,
C'est l'initiale du Nom « Messie »
> Qui soutenait le nom, comme sa Puissance
>> [soutenait son corps[1].

8. Marie n'était point capable, en effet,
> De porter son corps sans sa Puissance ;
Il a fait voir l'invisible par le moyen d'une évidence :
> Leurs noms mêmes ne pouvaient exister sans lui !

9. De ses initiales il a fait don
> À ses parents qui étaient sa tête ;
Comme par lui leurs corps avaient été ornés,
> De même aussi par ses Noms a-t-il orné leurs
>> [noms.

10. Jean lui non plus
> N'a point baptisé son corps sans sa Puissance ;
De Jean *Yod* soutenait le nom[2],
> Comme soutenait Jean la Puissance de Jésus.

11. S'il a prêté la beauté
> De ses lettres à leurs noms,
S'il a mêlé à leurs noms sa beauté, sa magnificence,
> Combien plus à leurs noms[3] a-t-il mêlé sa secrète
>> [Puissance !

---

1. Nous suivons ici l'interprétation de BECK. Moyennant d'autres options de lecture, McVEY comprend : « La première lettre de son nom (le nom de Marie) était celle de « Messie » : elle portait son Nom, comme sa Puissance portait son corps à elle. » Cette idée de soutien réciproque se rencontrait déjà dans *Nat.* XVII, 1.

2. « Jean » aussi commence par la même initiale *Yūd* que « Jésus » !

3. En s'autorisant du parallélisme avec str. 7, 4, BECK suggère de corriger ici le texte reçu : non pas « leurs noms », mais « leurs corps ».

12. Et comme la numération
   A dix échelons seulement[1],
  La création a six dimensions :
    La Hauteur, la Profondeur et, pleines de toi, les
                    [quatre Directions.

13. La lettre *Yod* de notre Roi Jésus
   Est reine de tous les nombres :
  Les computs sont suspendus à sa perfection
    Comme tous les esprits sont unis à Jésus.

14. Celui qui est plus grand que tout est descendu tout
                       [entier
    À une ineffable humilité,
  Puis s'en est retourné de cette humilité
    Pour saisir à la Droite une incommensurable
                    [majesté[2].

15. C'est grande merveille que d'une telle altesse,
   Peu à peu par degrés,
  Il soit venu à la petitesse !
    Du sein de la Divinité il a pris son essor vers
                    [l'humanité.

16. Le soleil, ton soleil,
    Comme avec une bouche proclame ton mystère[3] ;
  Sur ton modèle il descend très bas l'hiver,
    Comme toi il monte très haut l'été, régnant sur
                    [l'univers[4] !

1. Cf. *Nat.* XXVI, 12.
2. Cf. Ps 110, 1 ; Ph 2, 6-11.
3. Nous voici bien proches du Cantique des créatures de saint François d'Assise « spezialmente Messer lo frate Sole... de Te, Altissimo, porta significazione ».
4. Cf. Ps 19, 5-7 dont les Pères font si souvent une lecture christologique.

17. Le type de ta Conception aussi, ô mon Maître,
      Et de celle de Jean ton héraut,
   Les symboles de vos Conceptions et de vos Naissances
      Sont figurés par la lumière et les ténèbres, révélés
                    [à qui est doué d'intelligence !

18. La Conception de Jean eut lieu en Tishri,
      Quand les ténèbres font assaut;
   Ta Conception à toi eut lieu en Nisan,
      Quand la lumière obtient l'empire sur les ténèbres
                    [et les asservit[1].

19. Je rends grâce pour ta première Naissance,
      Invisible et cachée à toute créature ;
   Je rends grâce aussi pour ta seconde Naissance,
      Visible et plus jeune que toutes les créatures faites
                    [par tes mains.

20. L'Unique a deux Nativités :
      L'une est du ciel et l'autre de la terre;
   L'une est étrangère, totalement étrangère;
      L'autre (nous) est apparentée et fait de lui en tout
                    [le Frère de l'humanité.

21. Le Jour de ta Naissance, lui aussi,
      De manière symbolique en Kanoun est placé,
   Quand la lumière arrache à l'obscurité
      Les heures qu'elle avait dévorées, comme à celui
                    [qui nous dévorait tu nous as arrachés.

---

1. La conception de Jésus a lieu lors de l'équinoxe de printemps; de six mois antérieure (d'après Lc 1, 24-26 et 36), celle de Jean se situe en octobre-novembre, après l'équinoxe d'automne.

22. C'est ta Conception que Nisan figure; il s'écrie :
« Voici la Lumière dans le sein emprisonnée ! »
En Kanoun deux luminaires sont sortis :
Toi du sein, et le soleil avec toi du milieu de
[l'obscurité[1].

1. Cf. *Nat.*V, 14.

HYMNE XXVIII

Éphrem s'adresse à Marie pour célébrer le mystère de son exceptionnelle sanctification. Quoique privilégiée, la Vierge n'est pas demeurée passive, mais a apporté à son propos de virginité tout l'acquiescement de son libre arbitre (str. 1). Sanctifiée dans l'acte même de la conception virginale qui polarise toute sa mission de Mère de Dieu (str. 6), elle l'est aussi par l'inhabitation permanente du Verbe-Sceau qui se prolonge bien au-delà de la simple gestation physique (str. 7). Comment dès lors ne pas céder à l'émerveillement, lorsque l'on s'interroge sur l'insaisissable identité de Marie ?

Mais la louange mariale sert manifestement le projet pastoral et ascétique de la centonisation : établir la supériorité de la virginité sur le mariage dont la sainteté est néanmoins nettement affirmée (str. 3).

À l'*Erreur* dont les suppôts corrompent l'interprétation de l'Écriture, s'oppose l'Église des Nations, seule véritable Exégète, venue de loin butiner la *douce Fleur* (str. 8). Outre que la séquence Marie-Église rappelle l'*Hymne* XXV, à laquelle l'*Hymne* XXVIII fait immédiatement suite dans le ms. *J^a*, l'*Erreur* ici dénoncée recouvre à la fois l'hérésie christologique des ariens et l'hérésie mariologique des *scribes* (str. 5), autrement dit des Juifs détracteurs de la conception virginale. La *douce Fleur* ne représenterait-elle pas dès lors tout ensemble le Christ, sa Mère et l' Écriture?

De cet ensemble composite, on retiendra surtout la vigoureuse et dense affirmation mariologique de la quatrième strophe : *Spirituelle, tu es tout entière de l'Esprit.*

HYMNE XXVIII

(Sur la même mélodie)

Structure métrique : chaque strophe comporte huit vers.

1. Si de l'Arche le vénérable ombrage
　　　Abrita de chastes animaux,
　Combien plus Marie en qui demeurait l'Emmanuel
　　　Ne devait-elle pas s'opposer au mariage !
　Ta volonté t'a magnifiée, t'a rendue sainte,
　　　Et de surcroît ton Seigneur t'a parée[1];
　Les animaux de Noé furent domptés par la contrainte[2] :
　　　Toi, [tu consens] selon ta volonté.

Refrain : Louanges à sa Nativité !

2. = *Hymne* XXV, 17.

3. Rien d'abominable dans le commerce charnel
　　　Ni rien d'impur dans le mariage,
　Mais les ailes de la continence sont plus puissantes et
　　　　　　　　　　　　　　　　　　[plus légères

---

1. Éphrem s'adresse à Marie.
2. Dans son *Commentaire sur la Genèse* (CSCO 152, p. 61, ligne 22-27), Éphrem précise que les animaux furent astreints à la chasteté et que Noé l'observa pendant cinq cents ans.

Que celles du mariage[1].
Le commerce charnel, même pur, est inférieur :
Son refuge, c'est l'obscurité[2];
Le clair regard[3] est l'apanage de la chasteté
Qui est revêtue de lumière.

4. La lumière s'est levée sur vos demeures[4]
Sans laisser de place au mariage,
Car il n'était personne pour agir en secret
Dans ton domicile, ô Pleine de Gloire !
L'ombre de l'indolence et de la concupiscence
A été dissipée par les rayons du Rédempteur ;
Spirituelle, tu appartiens entièrement à l'Esprit[5],
Toi qui au Spirituel donnas naissance !

5. Disons-nous : « C'est une vierge.[6] » ? La conception nous
[contrecarre ;
« C'est la femme d'un homme. » ? Les signes de la
[virginité se récrient ;
Disons-nous : « C'est une vierge et la femme d'un
[homme aussi. » ?
Il n'y a pourtant qu'un corps, et il ne nous laisse
[point parler ainsi.

---

1. Même image en *Virg.* I, 7 ; elle n'est peut-être pas dépourvue d'harmoniques platoniciennes.
2. Avec BECK, nous ne traduisons pas la fin de ce stique dont le sens fait une sérieuse difficulté.
3. « *galyūtʰ appé* », équivalent de la παρρησία ; cf. *Virg.* III, 3.
4. Cette deuxième personne du pluriel fait difficulté : Éphrem s'adresse-t-il aux anges ou aux ascètes ? Dans la suite de la strophe en tout cas, il s'adresse à Marie.
5. Cf. *Nat.* VIII, 18.
6. Cf. *Nat.* XII, 1.

Merveille et prodige pour les habiles[1],
    Tourment et supplice pour les scribes :
Les signes de la virginité étaient cachés, et (de lait) les
                        [seins remplis[2].
    Pour tout cela, louange à lui !

6. En ce monde la conception provoque la concupiscence
    Et suscite dans les membres le désir charnel :
Ta Conception à toi est pure ; elle a détruit, ôté
    De tes membres le désir et ses mouvements ;
Sainteté et Pureté sur toi répandues t'ont remplie
    Et de leurs flots sacrés t'ont lavée,
Si bien qu'en te voyant l'on dit : « Qui est Celle-ci,
    toute glorifiée ? »

7. L'Être conçu[3], digne de louange, s'est lui-même imprimé
    Comme un sceau en ton esprit ;
Et même après sa naissance, telle fut en toi sa présence
    Que, totale, brillait de tes membres
Sa splendeur ; sur ta beauté, le voile
    De son amour, et sur toi tout entière son Onction[4] ;
Tu lui a tissé un vêtement[5] : il a déployé sa gloire
    Sur tous tes membres.

---

1. *Kāšrē* : Beck traduit « die Frommen » et McVey indique en note qu'il s'agit des ascètes.

2. Cf. *Nat.* XI, 4.

3. Le même mot *baṭnâ* peut signifier l'acte et le fruit de la conception (le fœtus).

4. Le Verbe continue d'habiter Marie même après sa naissance (cf. *Nat.* XVI, 2) et la pénètre tout entière de son onction ; on pourrait traduire littéralement : « Il est Christ (*m'šiḥ*) sur toi tout entière ».

5. Il peut s'agir aussi bien d'un vêtement concret (cf. Jn 19, 23) que d'un vêtement métaphorique, c'est-à-dire l'humanité du Verbe (cf. *Nat.* XVII, 4).

8. Combien l'Erreur en a-t-elle égarés en récoltant du fiel
Sur de suaves fleurs,
Comme celle qui mangea de doux fruits
Par elle transformés en venin mortel !
De la fragrance même des Livres,
L'Erreur tire un poison mortel pour ses amis ;
Les fils du Serpent présentent une coupe où ils mêlent
Du fiel de dragon[1].

9. Heureuse es-tu, Église-Abeille
À qui sont maintes suaves fleurs !
Il y eut pour toi un premier printemps[2] égyptien
Et un second printemps hébreu ;
Sur de saintes fleurs tu butines
Et d'elles toutes tu récoltes toutes sortes de secours ;
Heureuse es-tu, Église, qui sur les fleurs de ton temple
Ramasses une provende de Douceur !

10. Ton type est représenté par l'abeille
Qui, laissant là les fleurs de son pays,
S'est envolée bien loin pour extraire le parfum
De la douce Fleur qui croissait en Judée ;
Elle est venue, dans ses oreilles elle a fait provision
De douces allégories, puis les a emportées ;
Car Jérusalem a dilapidé la Douceur
Qu'en hâte ont recueillie les Nations.

---

1. Les hérétiques, victimes de l'Erreur personnifiée et comparée à Ève (cf. Gn 3, 6), corrompent l'interprétation des Écritures (cf. *HdF.* LIII, 7) ; l'expression « Fils du Serpent » se retrouve en *CH.* I, 13.

2. Littéralement : « Nisan » ; dans le calendrier syriaque ce mois comporte deux parties qui correspondent à mars et avril ; le « Nisan égyptien » désigne la Pâque de l'Exode, le « Nisan hébreu » celle qui a vu la mort et la résurrection de Jésus.

INDEX

I. INDEX DES RÉFÉRENCES BIBLIQUES

Le premier chiffre en gras indique l'hymne, le second, la strophe.

ANCIEN TESTAMENT

II. INDEX THÉMATIQUE ET NOTIONNEL

Dans cette liste figurent des titres qui, s'ils ne sont pas toujours très représentés dans les *Hymnes sur la Nativité* méritaient cependant l'insertion, pour la simple raison que, typiques de l'univers d'Éphrem, ils importent à qui voudrait entreprendre une répertoriation thématique exhaustive de l'ensemble de son œuvre. On indique entre parenthèses, au besoin, le vocable syriaque original. Quant à certains termes recouvrant des notions bien spécifiques de la théologie, de la symbolique ou de la spiritualité éphrémiennes, on les a réunis à part, dans une nomenclature particulière, agrémentés d'une traduction parfois approximative ou du terme grec correspondant, s'il s'agit d'un décalque.

agneau **1**, 42 ; **2**, 2 ; **4**, 34, 70, 117-118, 123-129 ; **5**, 14 ; **7**, 3-8 ; **11**, 6 ; **18**, 16, 18-19 ; **19**, 17 ; **20**, 2 ; **24**, 6, 24-25 ; **25**, 13

aigle **24**, 3

animaux **7**, 1-4

arbre **1**, 8, 32, 41 ; **3**, 12, 17 ; **26**, 4

baptême **3**, 19 ; **4**, 210 ; **6**, 22 ; **16**, 9-11 ; **18**, 15 ; **19**, 15 ; **22**, 13 ; **23**, 5, 12-14 ; **27**, 10;

beauté **1**, 6, 12 ; **3**, 8 ; **4**, 120 ; **11**, 2 ; 14, 1 ; **16**, 4 ; **26**, 3 ; **27**, 11 ; **28**, 7

braise (*gmurtâ*) **6**, 13 ; **9**, 15 ; **11**, 5 ; **22**, 14

chambre nuptiale (*gnūnâ, tawnâ*) **14**, 1 ; **17**, 6

cithare **2**, refr., 2, 5 ; **3**, 7, 16 ; **15**, 4-5 ; **19**, 19 ; **21**, 4 ; **22**, 2 ; **24**, 14

cœur **1**, 83 ; **3**, 11 ; **4**, 111 ; **5**, 10 ; **8**, 7 ; **16**, 7 ; **21**, 9 ; **22**, 17 ; **24**, 6 ; **26**, 3, 11

colombe **6**, 22 ; **24**, 3 ; **26**, 8

couronne **2**, 3-5, 11 ; **5**, 1, 10 ; **9**, 5-6 ; **18**, 4 ; **19**, 13 ; **22**, 8

croix **3**, 6, 10 ; **4**, 37, 109-110, 163 ; **8**, 13 ; **18**, 3, 26

divinisation **21**, 12 ; **22**, 14, 39

Divinité (représentation féminine de la) **4**, 149-150, 153-154 ; **13**, 7 ; **21**, 5, 7 ; **27**, 15

Écritures **13**, 1 ; **24**, 4, 20, 22 ; **25**, 9

Église **1**, 45 ; **16**, 4 ; **17**, 11 ; **18**, 14 ; **19**, 16 ; **23**, 7 ; **24**, 16 ; **25**, 1-10 ; **28**, 9-10;

enfants **4**, 195 ; **5**, refr., 11, 22 ; **8**, 19 ; **14**, 7 ; **19**, 10

esclaves **5**, 1-3 ; **17**, 8-10 ; **22**, 5

espérance **23**, 6

Esprit Saint **1**, 50-51, 59 ; **5**, 10 ; **6**, 13-14 ; **8**, 18 ; **13**, 1 ; **16**, 8 ; **21**, 14 ; **22**, 39-41 ; **23**, 14 ; **24**, 14 ; **25**, 8 ; **26**, 13 ; **28**, 4

émerveillement (*tahrâ, dumrâ*) **4**, 125-126 ; **5**, 16, 22 ; **6**, 10, 18 ; **7**, 13 ; **11**, 6 ; **12**, 1-2 ; **21**, 7-8 ; **23**, 2, 11 ; **27**, 15 ; **28**, 5

Eucharistie **3**, 9 ; **4**, 58, 87-105 ; **5**, 24 ; **16**, 4-7 ; **18**, 20 ; **19**, 16 ; **22**, 14 ; **24**, 7, 17 ; **25**, 6 ; **26**, 4-9

fête (*édâ*) **4**, 9, 20, 28, 57, 60, 73, 83 ; **28**, 57-59 ; **5**, 7-11 ; **21**, 2 ; **22**, 1-2 ; **25**, 1-2, 9

feu **14**, 17 ; **16**, 14 ; **22**, 13-14 ; **25**, 15

figuier **4**, 41-42

III. INDEX DES NOMS PROPRES

TABLE DES MATIÈRES

SOURCES CHRÉTIENNES

Fondateurs : † H. de Lubac, s.j.
† J. Daniélou, s.j.
† C. Mondésert, s.j.
Directeur : J.-N. Guinot

Dans la liste qui suit, dite « liste alphabétique », tous les ouvrages sont rangés par noms d'auteur ancien, les numéros précisant pour chacun l'ordre de parution depuis le début de la collection. Pour une information plus complète, on peut se procurer deux autres listes au secrétariat de « Sources chrétiennes » – 29, Rue du Plat, 69002 Lyon (France) – Tél. : 04 72 77 73 50 :

1. La « liste numérique », qui présente les volumes et leurs auteurs actuels d'après les dates de publication ; elle indique les réimpressions et les ouvrages momentanément épuisés ou dont la réédition est préparée.
2. La « liste thématique », qui présente les volumes d'après les centres d'intérêt et les genres littéraires : exégèse, dogme, histoire, correspondance, apologétique, etc.

LISTE ALPHABÉTIQUE (1-459)

SOUS PRESSE

CLÉMENT D'ALEXANDRIE, **Stromate IV.** A. Van Den Hoek, C. Mondésert (†).

CYPRIEN DE CARTHAGE, **A Démétrien.** J.-C. Fredouille.

HILAIRE DE POITIERS, **La Trinité.** Tome III. G. M. de Durand (†), Ch. Morel, G. Pelland.

Livre d'heures ancien du Sinaï. M. Ajjoub.

ORIGÈNE, **Homélies sur les Nombres.** Tome III. L. Doutreleau.

SYMÉON LE STUDITE, **Discours ascétique.** H. Alfeyev, L. Neyrand.

PROCHAINES PUBLICATIONS

Les Apophtegmes des Pères. Tome II. J.-C. Guy (†).

ARISTIDE, **Apologie.** B. Pouderon.

BARSANUPHE ET JEAN DE GAZA, **Correspondance.**Volume III. P. De Angelis-Noah, F. Neyt, L. Regnault.

EUSÈBE, **Apologie pour Origène.** R. Amacker, É. Junod.

FACUNDUS D'HERMIANE, **Défense des trois chapitres.**Tome I. A. Fraïsse.

GRÉGOIRE LE GRAND (PIERRE DE CAVA), **Commentaire sur le Premier Livre des Rois.** Tome V. A. de Vogüé.

RÉIMPRESSIONS RÉALISÉES EN 2000

1 bis.   GRÉGOIRE DE NYSSE, **Vie de Moïse.** J. Daniélou.

28 bis. JEAN CHRYSOSTOME, **Sur l'incompréhensibilité de Dieu.**
         J. Daniélou, R. Flacelière, A.-M. Malingrey.

57. 1.   THÉODORET DE CYR, **Thérapeutique des maladies helléniques.**
         Tome I. P. Canivet.

71.   ORIGÈNE, **Homélies sur Josué.** A. Jaubert.

78.   GRÉGOIRE DE NAREK, **Le Livre de Prières.** I. Kechichian.

79.   JEAN CHRYSOSTOME, **Sur la providence de Dieu.** A.-M. Malingrey.

167.   CLÉMENT DE ROME, **Épître aux Corinthiens.** A. Jaubert.

199.   ATHANASE D'ALEXANDRIE, **Sur l'incarnation du Verbe.**
         C. Kannengiesser.

204.   LACTANCE, **Institutions divines, Livre V.** Tome I. P. Monat.

RÉIMPRESSIONS PRÉVUES EN 2001

31.   EUSÈBE DE CÉSARÉE, **Histoire ecclésiastique.** G. Bardy.

35.   TERTULLIEN, **Traité du baptême.** M. Drouzy, R. F. Refoulé.

57. 2.   THÉODORET DE CYR, **Thérapeutique des maladies helléniques.**
         Tome II. P. Canivet.

92.   DOROTHÉE DE GAZA, **Œuvres spirituelles.** L. Regnault, J. de
         Préville.

109.   JEAN CASSIEN, **Institutions cénobitiques.** J.-C. Guy.

163.   GUIGUES II LE CHARTREUX, **Lettre sur la vie contempla-
         tive.** E. Colledge, J. Walsh et un chartreux.

210.   IRÉNÉE DE LYON, **Contre les hérésies, Livre III.** Tome I.
         L. Doutreleau, A. Rousseau.

211.   IRÉNÉE DE LYON, **Contre les hérésies, Livre III.** Tome II.
         L. Doutreleau, A. Rousseau.

308.   GUIGUES Ier, **Les Méditations.** Un chartreux.

313.   GUIGUES Ier, **Coutumes de Chartreuse.** Un chartreux.

Également aux Éditions du Cerf :

LES ŒUVRES DE PHILON D'ALEXANDRIE
publiées sous la direction de
R. ARNALDEZ, C. MONDÉSERT, J. POUILLOUX
Texte original et traduction française

1. **Introduction générale, De opificio mundi**. R. Arnaldez.
2. **Legum allegoriae**. C. Mondésert.
3. **De cherubim**. J. Gorez.
4. **De sacrificiis Abelis et Caini**. A. Méasson.
5. **Quod deterius potiori insidiari soleat**. I. Feuer.
6. **De posteritate Caini**. R. Arnaldez.
7-8. **De gigantibus. Quod Deus sit immutabilis**. A. Mosès.
9. **De agricultura**. J. Pouilloux.
10. **De plantatione**. J. Pouilloux.
11-12. **De ebrietate**. De sobrietate. J. Gorez.
13. **De confusione linguarum**. J.-G. Kahn.
14. **De migratione Abrahami**. J. Cazeaux.
15. **Quis rerum divinarum heres sit**. M. Harl.
16. **De congressu eruditionis gratia**. M. Alexandre.
17. **De fuga et inventione**. E. Starobinski-Safran.
18. **De mutatione nominum**. R. Arnaldez.
19. **De somniis**. P. Savinel.
20. **De Abrahamo**. J. Gorez.
21. **De Iosepho**. J. Laporte.
22. **De vita Mosis**. R. Arnaldez, C. Mondésert, J. Pouilloux, P. Savinel.
23. **De Decalogo**. V. Nikiprowetzky.
24. **De specialibus legibus**. Livres I-II. S. Daniel.
25. **De specialibus legibus**. Livres III-IV. A. Mosès.
26. **De virtutibus**. R. Arnaldez, A.-M. Vérilhac, M.-R. Servel, P. Delobre.
27. **De praemiis et poenis. De exsecrationibus**. A. Beckaert.
28. **Quod omnis probus liber sit**. M. Petit.
29. **De vita contemplativa**. F. Daumas, P. Miquel.
30. **De aeternitate mundi**. R. Arnaldez, J. Pouilloux.
31. **In Flaccum**. A. Pelletier.
32. **Legatio ad Caium**. A. Pelletier.
33. **Quaestiones in Genesim et in Exodum. Fragmenta graeca**. F. Petit.
34A. **Quaestiones in Genesim**, I-II (e vers. armen.). Ch. Mercier.
34B. **Quaestiones in Genesim**, III-IV (e vers. armen.) Ch. Mercier, F. Petit.
34C. **Quaestiones in Exodum**, I-II (e vers. armen.) A. Terian.
35. **De Providentia**, I-II. M. Hadas-Lebel.
36. **Alexander** *vel* **De animalibus** (e vers. armen.) A. Terian.

Photocomposition laser Abbaye de Melleray C.C.S.O.M. 44520 La Meilleraye-de-Bretag
Reproduit et achevé d'imprimer par l'Imprimerie Floch à Mayenne en mai 2001.
Dépôt légal : mai 2001. N° d'imprimeur : 51535. N° d'éditeur : 11517.
Imprimé en France.